JN080006

高尾宏治
藤村健吾 著
まつもとゆきひろ 監修

小学生から楽しむ

きらきら

Ruby
ルビー

プログラミング

日経BP

まえがき（最初に読もう）

プログラミングを教える人も
いっしょに読んでください

　2020年度から小学校の授業でプログラミング（プログラムをつくること）をするよ！小学校に行って国語や算数をするのと同じように、ゲームをつくったり、アニメーションをつくったり、音楽をつくったりといったコンピュータを使ったわくわくすることを小学校の授業でやるんだよ。楽しみだね。

　それが待ちきれなくて、まだプログラミングをやったことがないけど気になっていて小学校の授業よりも早くプログラミングをやりたいって思う人もいるよね。それに、もう授業でやったよという人は、プログラミングが楽しくてもっとやりたいって思うかもね。この本はそうした人たちのためのものなんだ。

　この本では小学校でするプログラミングの内容を、音楽、社会、算数、理科といった各教科に分けて説明しているよ。パソコンのことがよくわからないという人でも簡単にプログラミングのやり方の基本がわかるようになっているんだ。それだけではなくて、ちょっと難しいけれど発展的で面白いプログラミングも学べるようになっているよ。つまり、プログラミングが初めての人にも、すでに経験している人にも、どちらも楽しめる内容になっているんだ。

　今は世界中でプログラミングが大事なものになっていて、いろいろな職業の人がプログラミングをしているよ。だから、小学校だけでなく、中学校、高校、大学、そして社会に出てもプログラミングに触れる機会が多いんだ。だから、この本では社会で広く使われているプログラミング言語「ルビー（Ruby）」を学べるようにしたんだ。

　だけど、この本だけあればプログラミングを学べるかというと、みんながみんな、そうではないよ。プログラミングに詳しい人が近くにいて質問できたり、相談にのってもらえたりした方がプログラミングを学びやすいよね。だから、この本では、小学校やプログラミング教室の先生が、この本を使ってプログラミングをどのように教えたらいいのかも、終わりの方で説明しているんだ。

　プログラミングを学ぶ人も、それを教える人も、この本を読んで、プログラミングを知って、楽しみながらやってみて、そして好きになってほしいんだ。

▶▶ プログラミングを学ぶ人のための、この本の読み方

　これからプログラミングを学ぶ人は、まずはこの本の第1章を読もう。第1章は「そもそもプログラミングってどんなもの」ということの説明から始まって、読み終えるころにはプログラミングで簡単なゲームをつくれるようになるよ。

　第1章を読み終えたら、第2章から第6章まではどこから読んでもいいようになっているので、各章のタイトルを見て、楽しそうだなと思ったものから読んでほしい。楽しいことをやっているときが一番学べるからね。

　各章は大きく分けて 基本 と 発展 の2つに分かれているんだ。簡単な内容で基本的なプログラミングをやるのが 基本 。ちょっと難しいけれど発展的な内容をやるのが 発展 。これからプログラミングを始める、という人はある章の 基本 をやったら、次は別の章の 基本 をやってみよう。プログラミングを経験している人は、ある章の 基本 が終わったらその章の 発展 へと一気に読み進めてみよう。

▶▶ プログラミングを教える人のための、この本の読み方

　プログラミングを教える人も、まずはこの本の第1章を読んでプログラミングの基本を学んでください。

　そのあとは各章の 基本 を参考にしながら、巻末の学習指導案を読んでください。学習指導案は小学校の授業でプログラミングを教えることを想定しています。2020年度からの学習指導要領に適応し、一部は実際の授業でも使われている実践的なものです。

　小学校においては、これらの学習指導案に基づき、児童の理解度や利用している教科書に合わせて少し手直しをして、自由に授業で活用してください。

　また、プログラミング教室においては、これらの学習指導案の「授業展開」が参考になります。1回2時間のプログラミング教室を想定すると、はじめの1時間は「授業展開」に沿って各章の 基本 を学び、残りの1時間は各章の 発展 を学ぶ、といった活用ができます。

▶▶ この本のルール

この本で使う「スモウルビー」というソフトウェアには次に示す 2 種類のプログラムの書き方があるんだ。どちらか決めた方だけを読めばいいようになっているよ。

ブロック

プログラムの書き方の 1 つが主にマウスを使ってブロックを置いていく方法で、この本では ブロック としてそのやり方を示しているよ。初めてプログラムをつくる人や、パソコンの使い方がよく分からない人は、ブロックを使ってプログラムを書いてみよう。

ルビー

もう 1 つのプログラムの書き方がキーボードを使ってテキストで書く方法で、この本では ルビー としてそのやり方を示しているよ。キーボードの操作ができたり、プログラミングをやったことがあったり、ルビーを知っていたりする人はこの方法でやってみよう。

それと、この本では Windows を使って説明しているよ。Mac を使っている人はやり方がちがうところがあるから、この本のウェブサイトを合わせて読んでほしい。

https://github.com/smalruby/kira-prog/wiki

▶▶ 意見と質問

この本を読んだ感想・意見・質問があればメールで「kira-prog@smalruby. j p」まで連絡してほしい。メールの件名にこの本のタイトルの一部（「きらプロ」とか）を含めてもらえるとわかりやすくてうれしいよ。この内容はまちがっているとか、この本のとおりにプログラムをつくったけど動かない、といったことも教えてね。

メールアドレス : kira-prog@smalruby. j p
件名 : きらプロについて

▶▶ この本を読み終えて、もっとプログラミングを学びたいなら

　この本を読んでもっとプログラミングを学びたいと思ったら、日本全国で行われている無料のプログラミング教室「CoderDojo」へ参加してみよう。著者の1人の高尾も島根県で毎月「CoderDojo しまね」を開いていて、プログラミング教室をしているんだ。みんなと同じようにプログラミングをもっと学びたいと思っている人が集まっているから、きっと楽しいよ。

　CoderDojo がどこでいつ行われているかは、CoderDojo Japan のウェブサイトで確認できるよ。ウェブブラウザーで次のウェブサイトを見てみよう。

https://coderdojo.jp/

　いつかこの本を読んだみんなが「CoderDojo しまね」に遊びに来てくれるとうれしいな！

著者を代表して　高尾 宏治

謝辞
・・・・・・

高尾 宏治より

　スモウルビーを開発するきっかけとなり、さらにスモウルビーの基となっているスクラッチ（Scratch）を無償提供されているスクラッチ財団と MIT メディアラボのライフロング・キンダーガーテン・グループに感謝します。スクラッチを学んだ人がスモウルビーを使ってルビーを学び、ルビーのコミュニティに加わる、あるいは、はじめからスモウルビーを経由してスクラッチのコミュニティに加わる。そんなふうにスモウルビーがルビーとスクラッチのコミュニティの橋渡しをするような未来を願っています！

藤村 健吾より

　本書の執筆にあたり、さまざまな人たちに協力していただきました。特に Ruby プロ少の佐田明弘さんと諸星佑樹さん、松江市の職員のみなさんにお礼申し上げます。また、大学に進学させてもらった両親にこの場を借りてお礼申し上げます。

二人より

　なにより、私たちのプログラミング教室でスモウルビーでプログラミングを楽しみ、学び、そして多くの気づきと意見をくれた子どもたちに感謝します。

6

次

第4章 シューティングゲームをつくろう！
72

第5章 幾何学模様をかいてみよう！
96

第6章 マイクロビットを使ってみよう！
126

第**1**章

今日から君は
プログラマー！

準備 ▶ **プログラミングをはじめよう‼**

　この本を手にとってくれたみんなは「プログラミング」＝「プログラムをつくること」に興味があるよね。「プログラム」って言葉は聞いたことがあるだろうけど、それってどんなものか、わかるかな？

▷▷ プログラム

　小学校の運動会にも「プログラム」があったよね。開会式があって、50 メートル走、玉入れ、おうえん合戦、リレー、そして閉会式といったように、順番にやることが書いてあるものを「プログラム」っていうよ。

　パソコンの世界では、ゲームやインターネットをするときに使うものをパソコンの「プログラム」、または「ソフトウェア」といい、コンピュータに順番にやらせたいことが書いてあるんだ。

運動会の「プログラム」
1. 開会式
2. 50 メートル走
3. 玉入れ
4. おうえん合戦
5. リレー
6. 閉会式

パソコンの「プログラム」を書いているところ

▷▷ ルビー

みんなは「プログラミング言語」ってなにか知っているかな？ プログラマーがパソコンのプログラムを書くときに使う言葉で、日本語、英語、ドイツ語みたいにたくさんの種類があるんだ。

その中の１つ、「ルビー（Ruby）」は、島根県松江市に住んでいる「まつもとゆきひろ」さんが中心となってつくっているんだよ。ルビーは「プログラマーの親友になる（A PROGRAMMER'S BEST FRIEND）」という目標を立てて、人間にとってわかりやすく、ずっと使い続けたくなるようにつくってあるから、これからプログラミングを学ぶみんなにバッチリだよ。

それにルビーはインターネットで使われるソフトウェア、例えば、お買い物をしたり、料理のつくり方を教えてくれたりするものをつくるために使われることが多いんだ。自分がつくったソフトウェアがインターネットを通じて世界中の人に使われることを想像すると、なんだかワクワクしてくるよね。

▷▷ スモウルビー

でも、ルビーがいくら使いやすいといってもプログラムをつくるときには「A」「B」「C」といった英語のアルファベットや「（」「：」といった記号が使われていたり、キーボードを操作したりと、難しいことがたくさんあるんだ。少なくとも小学生が学ぶのは難しいよ。

ここを入力してプログラムをつくる

```
1   self.when(:flag_clicked) do
2     loop do
3       move(10)
4       bounce_if_on_edge
5       wait
6     end
7   end
```

ルビーのプログラムの例（左はしの数字は行番号）

そこで、小学生でもルビーが使えるようにつくられたプログラムが「スモウルビー（Smalruby）」だよ。スモウルビーには次のとくちょうがあるんだ。

- ルビーでプログラミングするための方法の１つだよ
- Scratch^{※1}というプログラムを基にして、みんなが楽しくルビーを書けるように機能を追加したよ
- Scratch と同じように無料で、パソコンでも、タブレットでも使えるよ
- この本の著者の１人で島根県に住んでいる高尾宏治さんがつくっているよ

※1　Scratch は MIT メディアラボのライフロング・キンダーガーテン・グループによって開発されているよ。次のウェブサイトから自由に利用・入手できるんだ。　https://scratch.mit.edu

　この本ではスモウルビーを使ってプログラムをつくるためのやり方や考え方を説明していくよ。スモウルビーでのプログラムのつくり方を身につけるとルビーでもプログラムがつくれるようになるんだ。ぜひ使い方を覚えて、世界中の人が使うソフトウェアをつくってみよう！

スモウルビーのプログラムの例

▶▶ スモウルビーを動かしてみよう

　さっそくコンピュータの電源を入れてインターネットをするためのプログラム（ウェブブラウザー）の「Edge」や「Chrome」や「Safari」を使って、以下のサイトにアクセスしよう。

https://smalruby.jp/smalruby3-gui/

　ここにアクセスするだけでスモウルビーが使えるよ^{※2}。

　さっそくプログラムをつくっていくけど、スモウルビーには２種類のプログラムのつくり方があるんだ。

　１つめが主にマウスを使ってブロックを置いていく方法。この本では ブロック

と書いているよ。2つめがキーボードを使ってプログラムを書く方法。この本では ルビー と書いているよ。

　みんなは好きな方を選んでプログラムを書こう。はじめてプログラムをつくる人や、コンピュータの操作に慣れていない人は、ブロックを使ってプログラムを書いた方がいいかな。そして、慣れたらルビーで書いてみよう。もちろん、はじめからルビーで書いてもいいよ。この本では、どちらで書いてもだいじょうぶなようになっているんだ。

　まずは簡単なプログラムを書きながらスモウルビーの基本的な操作を覚えよう。

ブロック

　下の画面はスモウルビーで最初に表示されるものだよ。この画面ではブロックを使ってプログラムをつくるんだ。

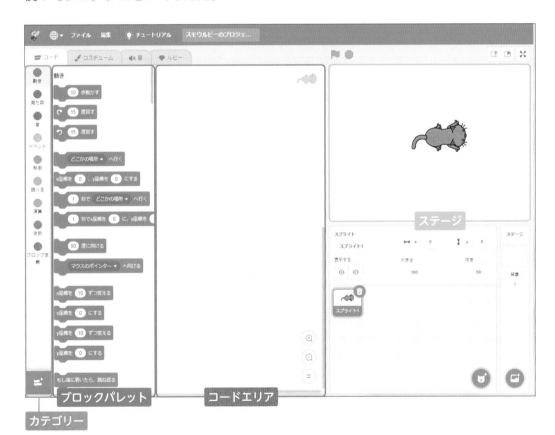

※2　普段インターネットにアクセスできない人は、インターネットがなくても動くデスクトップ版スモウルビーを使おう。インストールのやり方は以下にあるよ。インターネットができるパソコンのウェブブラウザーでアクセスしよう。
https://github.com/smalruby/smalruby3-desktop/wiki

さっそく、プログラムをつくってみよう。画面左側の見た目カテゴリー

見た目

の上でマウスの左ボタンをおして（この操作をクリックと言うよ）、「ブロックパレット」
の「（こんにちは！）と（2）秒言う」ブロックの上にマウスをもっていき、マウスの
左ボタンをおしたまま「コードエリア」にもっていってから（この操作をドラッグと
言うよ）、マウスのボタンを放して（この操作をドロップと言うよ）、ブロックをコー
ドエリアに置いてみよう。

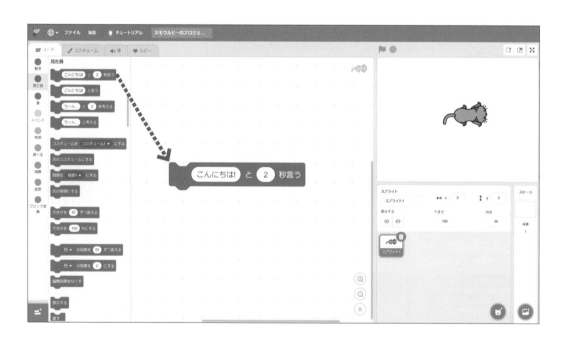

　　　ここで今置いたばかりのブロックの上でマウスをクリックすると、プログラムが実
行されて、ネコが「こんにちは！」としゃべるよ。やってみよう。こんなふうにブロッ
クをクリックするだけで、プログラムを実行できるんだ。簡単だよね。

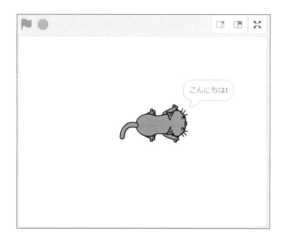

ネコをしゃべらすには別^{べつ}のやり方^{かた}もあるんだ。 ⬤ に「 🚩 が押^おされたとき」と書^かかれたブロックがあるよ。

🚩 が押されたとき

このブロックの上^{うえ}でマウスの左^{ひだり}ボタンをおしてブロックをつかんだまま、マウスを動^{うご}かしてさっき置^おいたブロックの上^{うえ}にもっていこう（この操作^{そうさ}がドラッグだね）。すると、グレー（灰色^{はいいろ}）のかげが出^でてくるよね。そうしたら、マウスの左^{ひだり}ボタンを放^{はな}そう（この操作^{そうさ}がドロップだね）。するとほら、2つのブロックがくっついたよね。

ちょっとここで質問^{しつもん}。くっついたブロックを外^{はず}すときはどうするといいかな？
外^{はず}すときは下^{した}のブロックをドラッグすればいいんだ。これでブロックを外^{はず}せるよ。くっつけるのとは逆^{ぎゃく}のやり方^{かた}だね。

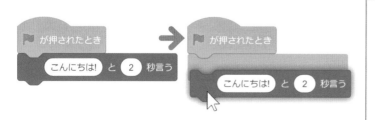

この状態で  をおすとネコがしゃべるよ。前のページに示したように、ちゃんと「こんにちは！」としゃべったかな？

それと、ネコの場所を変えることができるよ。ステージのネコをドラッグするとネコの場所を自由に動かせるんだ。

ブロックを消したいときは、消したいブロックをドラッグして左のブロックパレットまでもっていってからドロップしよう。するとブロックを消せるよ。

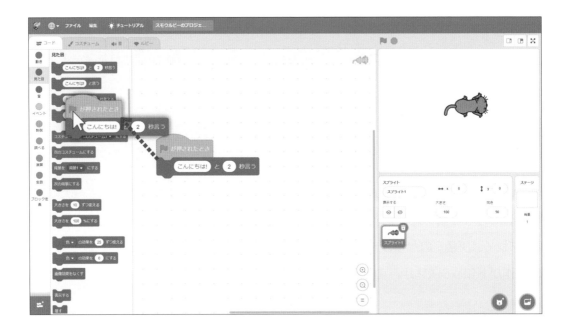

他にも消したいブロックの上で右クリックすると出てくるメニューから「ブロックを削除」を選ぶと、ブロックを消せるよ。やってみよう。

ルビーに切りかえるボタンをおすと下の画面に切りかわるよ。ルビーエリアをクリックして、キーボードを使ってプログラムを書いていこう。

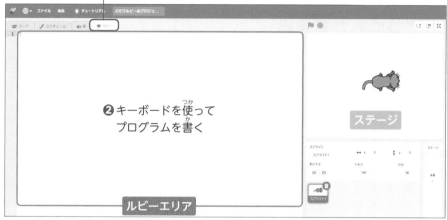

❶ このボタンをおす

❷ キーボードを使って
プログラムを書く

ルビーエリア

ステージ

第1章 今日から君はプログラマー！

まずはネコに「こんにちは！」と2秒しゃべってもらうためのプログラムを書いてみよう※3。行番号は入れなくていいよ。

※3 コンピュータで日本語を書く方法は、29ページにあるよ。

```
1: self.when(:flag_clicked) do
2:     say(" こんにちは !", 2)
3: end
```

そして 🏳 をおすとネコが「こんにちは！」と2秒だけしゃべるよ。
1行目の self.when(:flag_clicked) do と3行目の end は 🏳 をおしたときに、その間にあるプログラムを実行する命令だよ。
2行目のsayがネコをしゃべらせる命令だよ。そして、" (ダブルクオーテーション) で囲った「こんにちは！」がしゃべらせたい言葉で、, (カンマ) のあとの「2」がしゃべらせたい時間の長さなんだ。

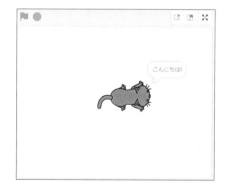

ネコからにげる簡単なゲームをつくろう

スモウルビーの操作を覚えるために簡単なゲームをいっしょにつくろう！追いかけてくるネコからにげる、つまりオニごっこをするゲームをつくろう。

▷▷ どうやってつくるか考える

どうやってプログラムを書いていったらいいか、いっしょに考えよう。ネコからにげるのは「ネズミ」＝「マウス」だね。まずはマウスのポインター（🖰）でネコとオニごっこをしてみよう。

1 ネコがマウスのポインターの方向を向く

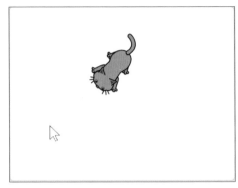

2 ネコがマウスのポインターのある方向に歩き出す

3 もしネコがマウスのポインターにふれたなら「こんにちは！」と2秒間言う

というようにプログラムを書くとできそうだね。この手順でつくっていこう。

1▷ ネコをマウスのある方向に向ける

最初にマウスのポインターの方向にネコを向けよう。そのためにバッチリな命令があるよ。

第
1
章

今日から君はプログラマー！

ブロック

● 動き の中の [マウスのポインター ▼ へ向ける] と [🏴 が押されたとき] をもってきて置こう。

ルビー

次のプログラムを書こう。

```
1: self.when(:flag_clicked) do
2:   point_towards("_mouse_")
3: end
```

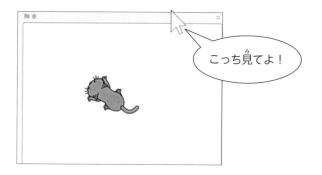

こっち見てよ！

🏴 をクリックして、プログラムを実行してみよう。マウスを動かしてみて、ちゃんとネコは動いたかな？ ネコが 🏴 の方を向いたまま動かないね。

実は、プログラムは上から順に「1度だけ」しか実行されないんだ。だからこのプログラムだと 🏴 をおしたときのマウスのポインターの方を1度だけ向いておしまい

17

なんだ。じゃあ「ずっと」プログラムを動かしたいときはどうしたらいいだろうか？
そんなときに使う命令があるんだ。

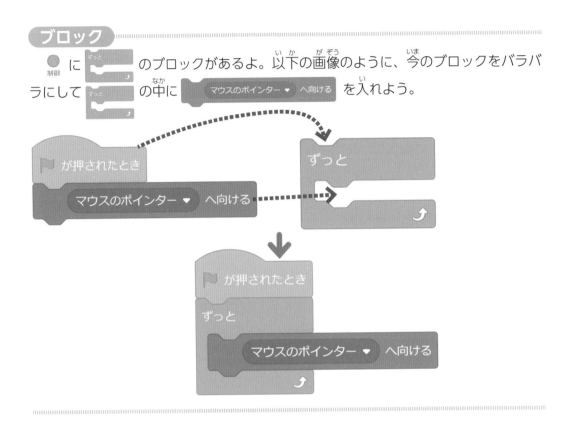

 に相当するのは、loop do ～ end というプログラムだよ。

```
1: loop do
2:     間はここ
3: end
```

do と end の間にプログラムを書いていくよ。青いわくのところに point_toward("_mause_") を入れよう。さらに、self.when(:flag_clicked) do と end で loop do と end をはさもう。これでマウスポインターの方をネコが見るよ。

```
1: self.when(:flag_clicked) do
2:   loop do
```

```
3:      point_towards("_mouse_")
4:    end
5: end
```

2 ▷ マウスのポインターのある方向に歩き出そう

次はマウスのポインターに向かって歩き出すようにプログラムをつくってみよう。

ブロック

ネコに歩いてもらうために ⬤ の中の [10 歩動かす] をくっつけよう。

🚩 が押されたとき

ずっと

　　マウスのポインター ▼ へ向ける

　　　10 歩動かす

ルビー

```
move(10)
```

これが前に進む命令だよ。マウスのポインターの方を向く命令の下に書こう。

```
1: self.when(:flag_clicked) do
2:   loop do
3:     point_towards("_mouse_")
4:     move(10)
5:   end
6: end
```

19

これでネコがマウスのポインターを追いかけるようになったかな。

3 もしもネコとマウスのポインターがふれたなら 「こんにちは」 としゃべる

もしもマウスのポインターがネコにふれたなら 「こんにちは！」 としゃべるようにしたいね。

そういうときは 「もし〜なら」、という命令を使おう。

この命令の使い方は、下の図の赤いわくのところに 「どういうときか」 を書いて、青いわくのところに 「やりたいこと」 を書くんだ。このようにプログラムをつくると、「もし〜なら」 の 「〜」 が正しいときに、青で囲ったことをやってくれるんだ。

ブロック

ここで使う 「もし〜なら」 という名前のブロック は、 ● の中にあるよ。

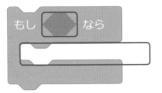

ルビー

「もし〜なら」 という命令は、次のように書くんだ。

```
1: if どういうときか
2:   やりたいこと
3: end
```

if の後ろに 「どういうときか」 を書くんだ。そして、そのときに 「やりたいこと」 を if と end の間に書こう。

ここではネコが 「マウスポインターに触れた」 ときに、「こんにちは！」 とネコにしゃべってもらいたいんだったね。そのときに使える命令があるよ。

ブロック

それが、⬤ にある ⟨マウスのポインター ▼ に触れた⟩ だよ。このブロックの形と「もし〜なら」ブロックの「どういうときか」のところの形が似ているのがわかるかな。

そこに、⟨マウスのポインター ▼ に触れた⟩ が入るんだ。下の図のようにピタっと入るよ。入ったかな？

> もし ⟨マウスのポインター ▼ に触れた⟩ なら

次に、下の図のように、「（こんにちは！）と（2）秒言う」のブロックを入れよう。入れたら下の図のように、これまでにつくったブロックと組み合わせれば完成だ！

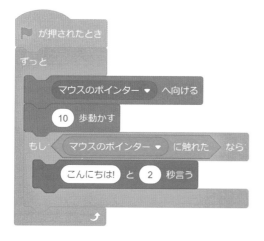

ルビー

マウスのポインターにふれたときに反応する命令は次のようになるよ。

```
touching?("_mouse_")
```

さっそく、使ってみよう。下のプログラムのように if の後（5行目）にこの命令を入れて、さらに if と end の間の行（6行目）に、「（こんにちは！）と（2）秒言う」命令を書こう。

```
1: self.when(:flag_clicked) do
2:   loop do
3:     point_towards("_mouse_")
4:     move(10)
5:     if touching?("_mouse_")
6:       say(" こんにちは !", 2)
7:     end
8:   end
9: end
```

ここまではうまくできたかな。 🚩 をおして実行してみよう。ネコがマウスのポインターを追ってきたかな？

▶▶名前をつけて保存しよう

せっかくだから、今つくったプログラムに名前をつけて保存をしよう。下の画像の赤で囲ったところをクリックして、今のプログラムに名前をつけよう。プログラムの名前はキーボードで打ちこもう。

名前をつけたら黄色で囲った「ファイル」をクリックして開いたメニューで、「コンピューターに保存する」を選ぼう。これで君のパソコンに保存されたよ。

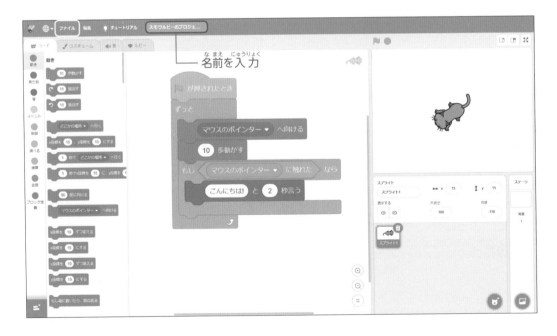

発展　プログラムをさらにつくりこもう！

次はネコが本物のネズミを追いかけるようにしてみよう。本物といってもネズミの
キャラクターだけどね。

ネズミを追いかける手順は、次のようになるよ。

❶ネズミを画面に追加する

❷ネズミがマウスのポインターについていくようにする

❸ネコがネズミとふれたならしゃべるようにする

▷▷ネズミを画面に追加しよう！

ネコやネズミのことをまとめてスモウルビーでは、「スプライト」というよ。これか
ら説明するのは「ステージにスプライトを追加」するやり方だよ。これはとっても簡
単なんだ。画面右下の 🐻 の上にマウスを合わせると次の画像のようになるよ。

🐻 をクリックすると次のページの画面が表示されてスプライトが選べるんだ。

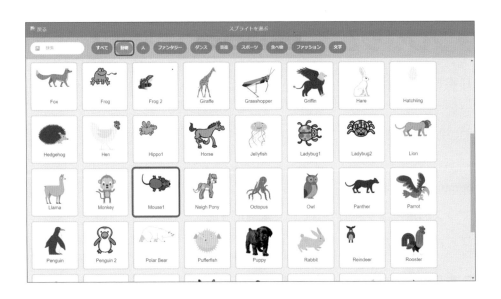

画面の上の「動物」を選んだら「mouse1」を探してクリックしてみよう。するとステージにネズミが増えるよ。

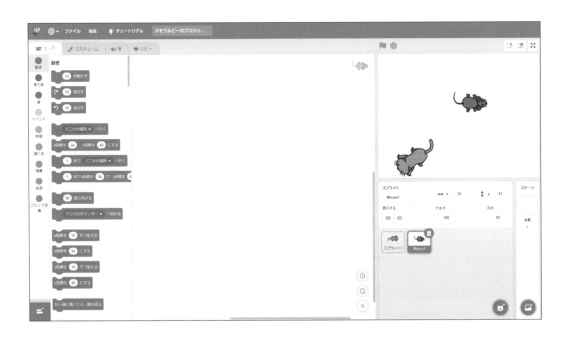

画面の右下のスプライトの一覧にネズミが追加されているね。そして、コードエリアからネコのプログラムが消えて、まっさらな状態になってしまったね。だけど、安心しよう。ネコのプログラムはちゃんとあるよ。スモウルビーではネコとネズミで別々にプログラムを書くんだ。今はネズミのスプライトに変わっているので、ここにネズミのプログラムをつくろう。

▶▶ ネズミがマウスのポインターについていくようにしよう！

ネズミがマウスのポインターについていくには、

「ずっと」、「ネズミ」が「マウスのポインターへ行く」をくり返す

というようにすればいいね。さらに、ネズミはネコの方を向くようにしたいね。

　もしネコのスプライトをクリックしてしまっていたら、プログラムをつくる前にネズミのスプライト「mouse 1」をクリックしておこう。そうするとネズミのプログラムを書くことができるよ。

ブロック

 を使おう。この命令は、スプライトが指定した場所にいくよ。三角のあたり（どこかの場所▼）をクリックすると、下の図のような行き先が出てくるよ。この中から「マウスのポインター」を選ぼう。

　ネコがマウスのポインターを向くのと同じようにして マウスのポインター ▼ へ向ける を使ってネズミがネコの方を向くようにしよう。ブロックの「マウスのポインター」と書いてあるところをクリックしてネコの名前「スプライト1」を選ぼう。ネコの名前はスプライトの一覧に表示されているよ。

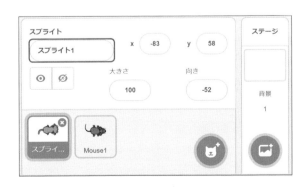

これらのプログラムを組み合わせて次のようなプログラムをつくろう。

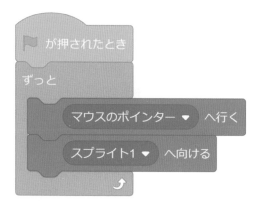

ルビー

point_towards()

これは () の中に書いたものの方を向く命令だよ。() の中に "_mouse_" と書くとマウスのポインターの方を向くんだ。

go_to()

これは () の中に書いたもののところへスプライトがしゅんかん移動する命令だよ。ネコは「スプライト 1」という名前になっているよ。これを loop の中に入れて をおしたときに動きはじめるようにすると次のようになる。

```ruby
1: self.when(:flag_clicked) do
2:   loop do
3:     go_to("_mouse_")
4:     point_towards(" スプライト 1")
5:   end
6: end
```

▶▶ネコがマウスにふれたならしゃべるようにする

ここまでやってきた君なら、以下を読まなくてもわかるかもしれないね？

今は、ネコがマウスのポインターにふれたときに「こんにちは！」としゃべるようになっているよね？ 次はマウスのポインターじゃなくてネズミにふれたなら「つかまえた」としゃべるように変えよう。変え方は、「こんにちは！」と書いてあるところをクリックしてから、書いてあるものを消して、キーボードで「つかまえた」と打ちこもう。ネコのプログラムを書く前にスプライトの一覧からネコをクリックしてコードエリアを切りかえるのを忘れないようにね！それと、ネズミの名前は「mouse1」だよ。

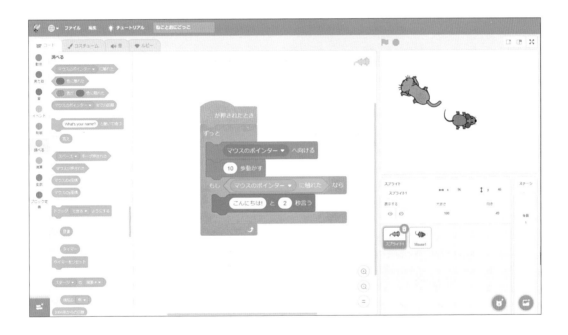

```
が押されたとき

ずっと

    Mouse1 ▼  へ向ける

    10  歩動かす

    もし  Mouse1 ▼  に触れた  なら

        つかまえた  と  2  秒言う
```

ルビー

```
1:  self.when(:flag_clicked) do
2:    loop do
3:      point_towards("Mouse1")
4:      move(10)
5:      if touching?("Mouse1")
6:        say("つかまえた", 2)
7:      end
8:    end
9:  end
```

▶▶今日から君はプログラマー！

　プログラムをつくる人のことを「プログラマー」というよ。たった今、プログラムを書いたから、君はもうプログラマーとしての一歩を踏み出したんだ。スモウルビーを使えば、今やったようなことだけじゃなく、ゲームをつくったり、勉強に役立つことができたりなど、いろいろなことができるよ。

　さあ、ページをめくって、もっといろんなことをやってみよう。

コンピュータで日本語を書く方法

　プログラムに日本語を書くのはコンピュータによってやり方がちがうんだ。Windows の場合は「半角/全角」キーを1度おしてから、「つかまえた」は「TUKAMAETA」と入力するんだ。「こんにちは！」の場合は、「KONNITIHA」と打ってから、「半角/全角」キーをおし、さらに「Shift」キーと「1」のキーを同時におそう。すると「！」を入力できるよ。

　日本語を書き終わったら、Windows の場合はもう1度「半角/全角」キーを一回だけおすよ。日本語以外のところ、例えば「say」は、半角英数で書くんだ。この半角英数の他に、全角英数っていうのもあって、それではプログラムは書けないんだ。キーボードの左上に半角/全角と書いてあるキーがあるから、そこをおして切りかえよう。

音楽をつくろう！

基本 リズムをつくろう

　みんなは楽器を演奏したことがあるかな？　音楽の時間にカスタネットを鳴らしたり、ドラムをたたいたりしたことがあるかな？　こういうのは苦手な人も得意な人もいるね。君はどうだろう。

　じつはね、パソコンは、楽器みたいに音を鳴らすことができるんだ。みんなは知っていたかな？　でも、パソコンをたたかないでね。そういうことじゃなくて、プログラミングをして楽器みたいに鳴らすということだよ。パソコンで音楽をつくると、楽器が演奏できなくても音楽を楽しむことができるんだ。演奏の苦手な人でも楽しめるね。

　スモウルビーでも簡単に音楽をつくれるんだ。楽器を演奏するときに必要な特別な技術はいらないよ。さまざまな楽器を鳴らしたり、リズムを変えたり、同時に演奏したり、などを簡単にできるんだ。いっしょにやってみよう。

▶▶ 楽器を鳴らす準備をしよう

　次の図の左下にある赤わくの中（ 🎵 ）をクリックしよう。

そして次の画面に変わったら、赤わくで囲んだ「音楽」をクリックしよう。

　画面左のカテゴリーの中に音楽（下の図の赤わく）が追加されるよ。スモウルビーで使える楽器には、スネアドラムやタンバリンのようなリズム楽器と、ピアノやフルートのようなメロディー楽器があるんだ。

▷▷リズム楽器を鳴らしてみよう

`ブロック`

まずは、リズム楽器を使うよ。

　このブロックで楽器の種類とリズムを決めるよ。早速ブロックをコードエリアに置いてみよう。置いたらブロックをクリックして楽器を鳴らしてよう。
　赤わくで囲ったところをおすと次ページの画像のように楽器を変えて鳴らせるよ。
青わくの中をおしてから数字を大きくすると、次の楽器が鳴るまでの時間が長くなる

よ。音を鳴らすのを休む「休符」には、「(0.25) 拍休む」ブロックを使おう。

まずはリズム楽器を使おう。リズム楽器を使うプログラムは次のようになるよ。

```
1: self.when(:flag_clicked) do
2:   play_drum(drum: 1, beats: 0.25)
3: end
```

赤色の文字が楽器の種類、青色の文字が次に楽器を鳴らすまでの時間の長さだよ。赤の数字を下のリストにある数字に設定すると、その数字の楽器になるよ。

使えるリズム楽器の番号			
1	スネアドラム	10	ウッドブロック
2	バスドラム	11	カウベル
3	サイドスティック	12	トライアングル
4	クラッシュシンバル	13	ボンゴ
5	オープンハイハット	14	コンガ
6	クローズハイハット	15	カバサ
7	タンバリン	16	ギロ
8	手拍子	17	ギブラスラップ
9	クラーベ	18	クイーカ

音を鳴らすのを休む「休符」は、次のようにしよう。

```
rest(0.25)
```

▶▶「くり返し」と「変化」を使ってまとまりのあるリズムをつくろう

　３・３・７拍子を知っているかな？ 運動会でおうえんするときに使うんだ。リズムを手拍子で表現したり、声を出したりするね。下のリズムがそうだよ。これをスモウルビーでやってみよう。スモウルビーだと好きな楽器でできるよ！

　まずは、簡単な３・３・７拍子をつくってみよう。

ブロック

```
が押されたとき
♬♪ (1)スネアドラム ▼ のドラムを 0.25 拍鳴らす
♬♪ (1)スネアドラム ▼ のドラムを 0.25 拍鳴らす
♬♪ (1)スネアドラム ▼ のドラムを 0.25 拍鳴らす
♬♪ 0.25 拍休む
♬♪ (1)スネアドラム ▼ のドラムを 0.25 拍鳴らす
♬♪ (1)スネアドラム ▼ のドラムを 0.25 拍鳴らす
♬♪ (1)スネアドラム ▼ のドラムを 0.25 拍鳴らす
♬♪ 0.25 拍休む
♬♪ (1)スネアドラム ▼ のドラムを 0.25 拍鳴らす
♬♪ (1)スネアドラム ▼ のドラムを 0.25 拍鳴らす
♬♪ (1)スネアドラム ▼ のドラムを 0.25 拍鳴らす
♬♪ (1)スネアドラム ▼ のドラムを 0.25 拍鳴らす
♬♪ (1)スネアドラム ▼ のドラムを 0.25 拍鳴らす
♬♪ (1)スネアドラム ▼ のドラムを 0.25 拍鳴らす
♬♪ (1)スネアドラム ▼ のドラムを 0.25 拍鳴らす
♬♪ 0.25 拍休む
```

これが３・３・７拍子を鳴らすプログラムだよ。

```
 1: self.when(:flag_clicked) do
 2:   play_drum(drum: 1, beats: 0.25)
 3:   play_drum(drum: 1, beats: 0.25)
 4:   play_drum(drum: 1, beats: 0.25)
 5:   rest(0.25)
 6:   play_drum(drum: 1, beats: 0.25)
 7:   play_drum(drum: 1, beats: 0.25)
 8:   play_drum(drum: 1, beats: 0.25)
 9:   rest(0.25)
10:   play_drum(drum: 1, beats: 0.25)
11:   play_drum(drum: 1, beats: 0.25)
12:   play_drum(drum: 1, beats: 0.25)
13:   play_drum(drum: 1, beats: 0.25)
14:   play_drum(drum: 1, beats: 0.25)
15:   play_drum(drum: 1, beats: 0.25)
16:   play_drum(drum: 1, beats: 0.25)
17:   rest(0.25)
18: end
```

これも３・３・７拍子を鳴らすプログラムだ。

きちんと３・３・７拍子を鳴らせたかな？ ３・３・７拍子は同じ小さなまとまりの
リズムを２回くり返した後、大きなまとまりのあるリズムを１回鳴らしているよ。わ
かったかな？ 何回か動かして確認してみよう。

▷▷ 自分オリジナルのリズムをつくってみよう！

今度は自分だけのリズムをつくってみよう。３・３・７拍子に基づいて、ここでは、

0.25 拍と 0.125 拍を使って、オリジナルのリズムをつくるよ。

　そのときに、今までの最初の 2 回くり返すところはプログラムで自動的にくり返すようにしたいね。だから、次のようにして、くり返しをプログラムにやってもらおう。

第 **2** 章 音楽をつくろう！

ブロック

が 2 回同じ命令をくり返すブロックだね。使い方は、 のブロックと同じだよ。これを使って 3 拍子のところを 2 回くり返しているよ。これでくり返すところを 1 か所にできたね。

　くり返す部分の数字をすべて足すと 1、最後の部分の数字をすべて足すと 2 になるのがわかるかな？　合計が 1 と 2 になるようにするのと、今ある休符の位置を変えないようにして 、、 を組み合わせてリズムを自由につくろう。次ページのリズムが新しいリズムの例だよ。こんな感じで好きにつくろう。

が押されたとき

2 回繰り返す

♪♪ (1)スネアドラム ▼ のドラムを 0.25 拍鳴らす

♪♪ (1)スネアドラム ▼ のドラムを 0.25 拍鳴らす

♪♪ (1)スネアドラム ▼ のドラムを 0.125 拍鳴らす

♪♪ (1)スネアドラム ▼ のドラムを 0.125 拍鳴らす

♪♪ 0.25 拍休む

0.25+0.25+0.125+0.125+0.25
=1
足すと 1 になる！

♪♪ (1)スネアドラム ▼ のドラムを 0.25 拍鳴らす

♪♪ (1)スネアドラム ▼ のドラムを 0.25 拍鳴らす

♪♪ (1)スネアドラム ▼ のドラムを 0.25 拍鳴らす

♪♪ (1)スネアドラム ▼ のドラムを 0.25 拍鳴らす

♪♪ (1)スネアドラム ▼ のドラムを 0.25 拍鳴らす

♪♪ (1)スネアドラム ▼ のドラムを 0.125 拍鳴らす

♪♪ (1)スネアドラム ▼ のドラムを 0.125 拍鳴らす

♪♪ (1)スネアドラム ▼ のドラムを 0.25 拍鳴らす

♪♪ 0.25 拍休む

0.25+0.25+0.25+0.25+0.25+
0.125+0.125+0.25+0.25
=2
足すと 2 になる！

ルビー

```ruby
 1: self.when(:flag_clicked) do
 2:   2.times do
 3:     play_drum(drum: 1, beats: 0.25)
 4:     play_drum(drum: 1, beats: 0.25)
 5:     play_drum(drum: 1, beats: 0.25)
 6:     rest(0.25)
 7:   end
 8:   play_drum(drum: 1, beats: 0.25)
 9:   play_drum(drum: 1, beats: 0.25)
10:   play_drum(drum: 1, beats: 0.25)
11:   play_drum(drum: 1, beats: 0.25)
```

```
12:    play_drum(drum: 1, beats: 0.25)
13:    play_drum(drum: 1, beats: 0.25)
14:    play_drum(drum: 1, beats: 0.25)
15:    rest(0.25)
16: end
```

このプログラムのうち、次のところが2回くり返す命令だよ。これで最初の3拍子を2回くり返してくれるよ。

```
2:    2.times do
```

```
7:    end
```

この場合も、くり返す部分の数字をすべて足すと1、残りの部分の数字をすべて足すと2になるように変更して、好きなリズムにしてみよう。

音楽が苦手な人も、パソコンだと自由にきれいなリズムがつくれるのがわかったかな？ 複雑で難しいリズムやテンポの速いリズムも、プログラムをつくれば毎回正確に演奏してくれるんだ。同時にリズムを奏でることもできるし、音が変わるオルガンもつくれるよ。興味がある人は、次の 発展 まで進んでやってみよう。

発展 電子オルガンをつくろう

無事にリズムを鳴らせたなら、電子オルガンをつくってみよう。楽器を8つつくってクリックしたら、オルガンみたいにちがう音が鳴るようにしてみよう。まずは、スプライトをクリックしたら音が鳴るようにしよう。

▷▷メロディー楽器を鳴らしてみよう

ブロック

今回はメロディー楽器を使うよ。 ♪♬ 楽器を (8)チェロ ▾ にする でメロディー楽器を決め

て、音の高さや長さを  で決めるんだ。早速それらのブロックを置いてみよう。置いたらクリックして楽器を鳴らしてよう。

音が鳴ったら、音の高さや、鳴っている長さも変えたいね。赤で囲んだところをクリックするとけんばんが出るよ。クリックしてみよう。

　このけんばんで好きな音階を選べるよ。数字を変えると、音の高さを変えられるんだ。変えて音を出してみよう。青で囲んだところは音の鳴る長さを変えられるよ。鳴らしたい長さだけ数字を入れよう。
　いろんな楽器を使いたいとは思うけど、最初はピアノを楽器にしよう。鳴る音の高さを決めたら、このスプライトが押されたときと音が鳴るプログラムを組み合わせて、スプライトをクリックすると音が鳴るようにしよう。例えば、次のようにしてみよう。

```
このスプライトが押されたとき
♬ 60 の音符を 0.25 拍鳴らす
```

ルビー

楽器の選択をするには、次のように書こう。

```
self.instrument = 1
```

数字を変えると楽器が変わるよ。鳴らすには、次のように書こう。

```
play_note(note: 60, beats: 0.25)
```

赤文字が音の高さ、青文字が音を鳴らす長さだよ。変えてみよう。下の数字に設定すると、その数字の楽器になるよ。

使えるメロディー楽器の番号			
1	ピアノ	11	サクソフォン
2	電子ピアノ	12	フルート
3	オルガン	13	木管フルート
4	ギター	14	バスーン
5	エレキギター	15	合唱団
6	ベース	16	ビブラフォン
7	ピチカート	17	ミュージックボックス
8	チェロ	18	スチールドラム
9	トロンボーン	19	マリンバ
10	クラリネット	20	シンセリード
		21	シンセパッド

音の高さは下のけんばんの位置になるよ。C60がドの音なんだ。ドの音を鳴らしたかったら「60」と打ちこもう。「71」はシの音だよ。

C60 D62 E64 F65 G67 A69 B71 C72

次のようにして 🚩 をクリックしたときにプログラムが実行されるようにしよう。

```
1: self.when(:flag_clicked) do
2:   self.instrument = 8
3:   play_note(note: 60, beats: 0.25)
4: end
```

いろんな楽器を使いたいとは思うけど、最初は1のピアノを楽器にしよう。いろいろ音を鳴らして試してみたら、スプライトをおすと音が鳴るようにプログラムを書きかえてみよう。

```
1: self.when(:clicked) do
2:    play_note(note: 60, beats: 0.25)
3: end
```

▷▷ 見た目を楽器のキーボードに変えよう

今はネコをクリックしたときに音が鳴るけど、見た目を変えて楽器のキーボードをクリックしたときに音が鳴るようにしてみよう。そういうときはスプライトのコスチュームを変えるよ。

赤わくで囲んだコスチュームのところをクリックしよう。すると次の画面になるよ。ここで黄色のわくのところを1回クリックしよう。

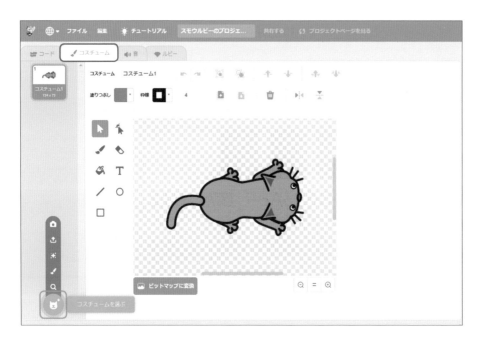

すると次のページの画面になるよ。音楽をクリックすると音楽に関するコスチュームが出てくるんだ。左下のキーボード（Keyboard-a）を選んでみよう。コスチュームがキーボードに変わるよ！

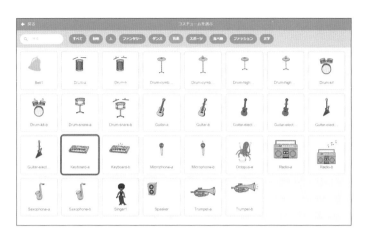

　右側の画像のようにキーボードとネコが並んだら、ネコをクリックして、ネコの右上の  をクリックしよう。

　ネコをクリックするといったんはステージ上にネコが出たけど、 をクリックしたらキーボードにもどったね。

▷▷鳴らせる音の種類を増やそう

　今は1つしか音が鳴らせないけど、電子オルガンだからもっと多くの音を鳴らせるようにしたいよね。そのためにキーボードをもっと増やそう。

　キーボードを増やすには左下の増やしたいスプライトを右クリックして「複製」を選ぼう。

　ステージにあるキーボードが増えたかな？　キーボードはきれいに並べ変えると見やすいよ。ドラッグ・アンド・ドロップで並べよう。右下にもスプライトが増えているね。増えたキーボードをクリックしたときに鳴る音を変えよう。鳴る音の変え方は右下の増えたスプライトをクリックしよう。すると増えたスプライトに書いてあるプロ

グラムに変わるよ。ここで音の鳴るプログラムを変えてみよう。そうしたら2つのスプライトをクリックしたときにちがう音がするのがわかるかな？ 同じ要領で好きなだけキーボードを増やしてみよう。

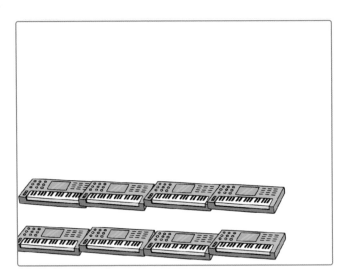

▷▷ お絵かきしてコスチュームをけんばんにしよう

このキーボードをけんばんの絵にしてみよう。でもコスチュームの中にはけんばんの絵はないんだ。でも、スモウルビーには自分で好きな絵をかける機能がある。自分でかいてみよう。左上にあるコスチュームをクリックしよう。次ページの画面になるよ。

赤わくのところをクリックすると絵を消すことができるよ。

　このようにキーボードを消せたところで、下の画面の説明をするね。

　縦に長い四角をかいてみよう。左上の紫のところで四角の中の色を、そのとなりのところで四角のわくの太さと色を決められるよ。好きなようにけんばんをかいてみよう。音階をかいてみてもいいかも。かいたら全部のけんばんを変えてみよう。

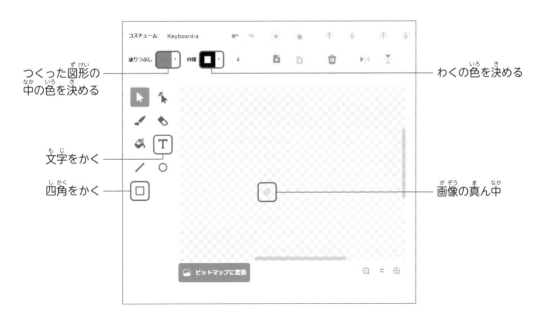

つくった図形の
中の色を決める

わくの色を決める

文字をかく

四角をかく

画像の真ん中

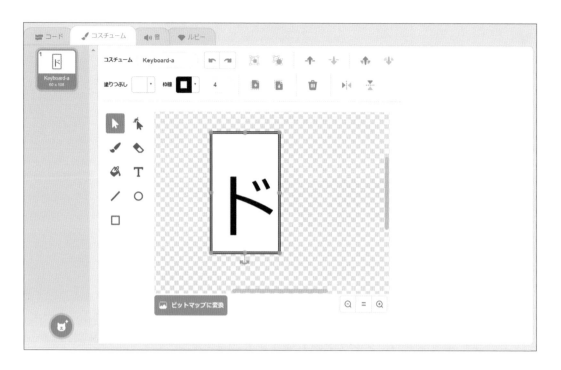

▷▷ 楽器を変えられるようにしよう

スモウルビーではいろんな楽器の音が鳴らせるよ。ステージ上に楽器を置いて、そのスプライトをクリックしたら、その画像と同じ音がするようなプログラムが欲しいね。つくってみよう。

まずは楽器を変えるプログラムをやってみよう。サクソフォンをステージに追加しよう。サクソフォンは赤わくのところだよ。

楽器を変える命令は次のようになる。プログラムをつくって実行してみよう。

```
このスプライトが押されたとき

♪♫ 楽器を (11) サクソフォン ▼ にする
```

ルビー

```
1: self.when(:clicked) do
2:   self.instrument = 5
3: end
```

サクソフォンをクリックしたら楽器が変わったかな？ 変わらなかったよね。なぜだか考えてみよう。

スモウルビーではスプライトごとに楽器が用意されているので、このブロックを実行したスプライトだけにしか反映されないんだ。だから楽器をクリックするとすべてのスプライトで楽器を変える命令を実行するように、プログラムをつくらないといけないんだね。

では、どうしたらすべてのスプライトで楽器が変わるだろうか？ そんなときは「メッセージ」を使おう。メッセージをほかのスプライトに送ってけんばんのスプライトに楽器を変えろ、と命令するんだ。

▷▷けんばんをおすと鳴る楽器の種類を決めよう

まずは好きな楽器のスプライトを配置しよう。ここではサクソフォン、キーボード、ギターを置いたよ。みんなは、好きな楽器を置いてみよう。

▷▷けんばんにメッセージを送ろう

ここからけんばんにメッセージを送るプログラムを書いていこう。

プログラムをつくる前にメッセージについて説明するね。メッセージは1度にすべての
スプライトに送ることができるよ。メッセージを受け取ったスプライトは、🚩 をおした
ときの  みたいに、命令を実行するよ。これを利用してメッセージをすべて
のけんばんに送って、メッセージを受け取ったら受け取ったメッセージ通りの楽器に変
えるようにすればいいんだ。

ブロック

🔵 の中に ![メッセージ1 ▼ を送る] があるよ。これがメッセージを送るプログラムなん
だ。メッセージ1のところをクリックして新しいメッセージをつくろう。クリックし
たときにサクソフォンというメッセージを送るようにしよう。プログラムは次のよう
になるよ。

これでクリックしたときにサクソフォンのメッセージをすべてのけんばんに送るよ
うになったよ。

ルビー

broadcast("サクソフォン")

これがメッセージを送る命令だよ。これでサクソフォンのメッセージを送ることが
できるんだ。"" の間が送るメッセージだよ。スプライトをクリックしたときに動くプ
ログラムは次のようになるよ。

```
1: self.when(:clicked) do
2:    broadcast(" サクソフォン ")
3: end
```

ほかの楽器も同じようにして楽器の名前をメッセージとして送れるようにしよう。

▷▷けんばんで楽器からのメッセージを受け取ろう

次に、メッセージを受け取ったときに楽器を変えるようにしよう。各けんばんでメッセージを受け取るんだ。それには次のようにしよう。

ブロック

⚪イベント の中にある サクソフォン ▼ を受け取ったとき でメッセージを受け取ろう。受け取ったら楽器をサクソフォンに変えよう。プログラムはこうなるね。

> サクソフォン ▼ を受け取ったとき
> ♫ 楽器を (11) サクソフォン ▼ にする

これを全部のけんばんに入れるのはすごく大変だね。なのでコピーを覚えよう。画像のようにプログラムをもって右下の「レ」のけんばんのアイコンまでもっていって放すとプログラムが「レ」のけんばんにコピーされるよ。アイコンがふるえているものにコピーされることに注意しよう。全部のけんばんにコピーできたら、実行しよう。

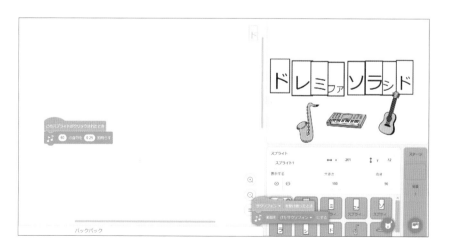

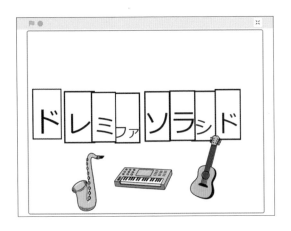

```
1: self.when(:receive, " サクソフォン ") do
2:
3: end
```

　これがサクソフォンのメッセージを受け取ったときに動くプログラムだよ。上と下の命令の間に、楽器を変える命令を入れて、メッセージを受け取ったときに動くプログラムにしよう。次のようになるね。

```
1: self.when(:receive, " サクソフォン ") do
2:   self.instrument = 11
3: end
```

　これをすべてのプログラムに書くのは大変だね。書きまちがえとかを探すのにも一苦労だね。だからコピーしてまちがえないようにしよう。

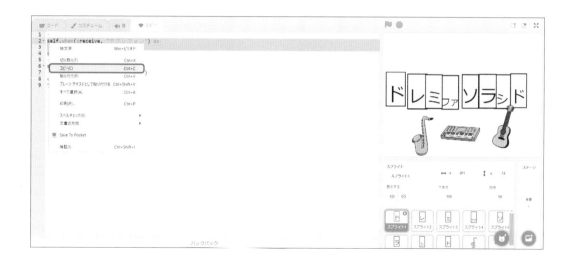

　マウスでコピーしたいところの最初をクリックしたまま、コピーしたいところの最後までもっていこう。青く色が変わるよ。そこで右クリックをして「コピー」を選ぼう。

　コピーができたらほかのけんばんのルビーの画面で「貼り付け」よう。全部貼り終えたかな？

　楽器をクリックしたらけんばんの音が変わったね。変わってないならプログラムを見返してみよう。

　これで好きな楽器に音を変えられるけんばんができた。シンセサイザーみたいだね。好きなように鳴らしてみよう。今つくったプログラムを改造して、いろんな楽器を使って好きな音を同時に鳴らしても面白いね。好きなプログラムを書いてみよう。

第 **3** 章

なぞなぞゲームを
つくろう！

基本 問題をつくって答えよう

　みんなは自分の住んでいる県の県庁所在地を知っているかな？ 県庁所在地は、県知事さんが勤めている場所（土地）のことなんだ。日本の半分以上の都道府県は、「鳥取県」と「鳥取市」のように県庁所在地のある市の名前と県名が同じなんだけど、残りの半分近くは「島根県」と「松江市」のように同じではないんだ。小学校の社会科でみんな覚えたかな。

　行ったことのない県の県庁所在地を覚えるのは大変だよね。だから、いっしょに県庁所在地の名前を当てる「なぞなぞゲーム」をつくって覚えよう！えっ、そんな名前に興味はないって！？ だいじょうぶ、つくったなぞなぞゲームの問題を変えれば、好きな問題がつくれるんだ。まずは県庁所在地のなぞなぞゲームをつくって、後から自由に変更しよう。

▶▶ なぞなぞってどんなもの？

　なぞなぞゲームをつくるために、「なぞなぞ」ってどんなものかをいっしょに考えてみよう。

　なぞなぞをするときは、まずは問題と答えを用意するよね。ここでは県名と県庁所在地のなぞなぞにするから、例えば問題が「島根（県）」で、答えは「松江（市）」のようになるね。

　次に、その問題を出す相手を決めよう。その相手に、「これからなぞなぞを出すよ。島根県の県庁所在地はど〜こだ？」って聞くんだね。

　そうしたら、相手が答えるのを待とう。相手が「え〜と、あっ、松江市だ！」と答えたら、君は「正解！」って言うよね。もし、まちがっていたら、「ブー。正解は松江市でした」

と言って、答えを教えてあげるんだよね。

　ここまで考えたら十分だ。これをそのまま次のようなプログラムにして「なぞなぞゲーム」をつくってみよう。

1 君が県名と県庁所在地を用意する（なぞなぞの問題と答えを決める）。

2 ネコが、とある県の県庁所在地はどこかを相手（このゲームをやっている人）に聞いてくる（なぞなぞを出す）。

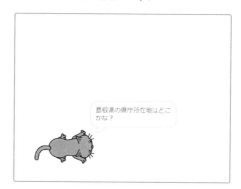

3 相手が、その県の県庁所在地を答える（なぞなぞに回答する）。

4 ネコがその回答が正しいかどうかを確認して、正しければ「正解」、まちがっていたら正しい県庁所在地を教える（なぞなぞの答え合わせをする）。

▷▷ なぞなぞの問題と答えを決める

　なぞなぞには「問題」と「答え」があるよね。まずは、「問題」と「答え」を決めよう。県名と県庁所在地が同じじゃないものがいいね。ここでは、「問題」を「しまねけん」、「答え」を「まつえし」にするよ。君は、自分の好きな問題と答えを決めよう。

▷▷ なぞなぞを出す

　続いて、ネコが「〜〜の県庁所在地はどこ？」と聞いてくるようにしよう。その質問に対して、ネコの相手が返事（回答）をするんだね。

　では、質問を出してみよう。ここで使えるのが、次の命令なんだ。

What's your name? と聞いて待つ

　このブロックに入力した内容をネコが質問してくれるよ。白いスペースをクリックしてから、そこに問題を書きこもう。ここではひらがなにするよ。

SIMANEKENNNOKENTYOUSYOZAITIHADOKOKANA
しまねけんのけんちょうしょざいちはどこかな

　キーボードでこのように入力しよう。次のようにプログラムをつくれば、🏳 をクリックするとネコが出題してくれるよ。

🏳 が押されたとき
しまねけんのけんちょうしょざいちはどこかな と聞いて待つ

　ask( )

　これが質問をしてくれる命令だよ。かっこの中をしゃべってくれるんだ。ネコに質問してほしい内容は、「しまねけんのけんちょうしょざいちはどこかな」だね。これを質問してもらうには、次のように書こう。そのようにネコが質問してくれるよ。

```
1: self.when(:flag_clicked) do
2:     ask(" しまねけんのけんちょうしょざいちはどこかな ")
3: end
```

　ここまでつくったプログラムの動きの確認をしよう。うまくできていると 🏳 をおすたびに次のような画面になっているはずだ。なぞなぞに答えるには、赤わくの中に答えを入力しよう。

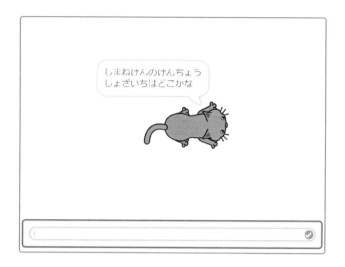

島根県の県庁所在地は「まつえし」だから「まつえし」と入力してみよう。打ちこんだ返事はスモウルビーで使うことができるよ。

（ブロック）の場合には（答え）に、（ルビー）の場合には answer に、先ほどの画面で答えた返事が入るんだ。

せっかく入力したのに、ネコは何もしてくれなかったね。まだプログラムをつくってないから、何もしてくれなかったんだよ。

▷▷ なぞなぞの答え合わせをする

それでは、ネコが答え合わせするようにしてみよう。答えが合っていれば「せいかい！」と言い、まちがっていると正しい答えを言ってくれるようにしたいね。

そこで、「もし～なら、でなければ」の命令を使おう。第1章でやった「もし～なら」とほとんど同じだけど、「でなければ」がついているところがちがうね。今回は答えが合っているときとまちがっているときとで、異なる動きをネコにしてもらうために、「もし～なら、でなければ」を使ってみよう。

ブロック

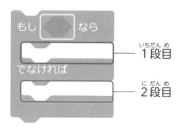

これは、黄色のわく内の六角形の中が正しかったら1段目の赤わくの中を、まちがいなら2段目の青わくの中のプログラムを実行するんだ。

返事がその県の県庁所在地かどうか、合っていることを調べるにはどうしたらいいだろう？　それには、次のブロックを使おう。

このブロックは、左のわくに入っているモノと右のわくに入っているモノが同じかどうかを調べてくれるんだ。算数の記号のイコール「＝」を使って、左右が同じかどうかを調べるんだね。白いところに、答えと「その県の県庁所在地（まつえし）」を入れると、うまく調べられそうだね。

使い方はこうだよ。ブロックの左に 答え 、右にキーボードで「まつえし」と入れて、次のブロックをつくろう。

答え ＝ まつえし

このブロックを「もし〜なら」の中に入れよう。

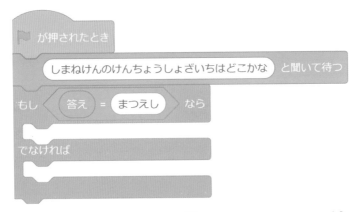

こうなったかな。これで、答えが正しいかどうかを調べることができるよ。

ルビー

if（条件）

正しいとき

else

まちがっているとき

end

このように書くと、if のとなりに書いてあること（条件）が正しければ赤わくのところ、まちがっていたら青わくのところを実行するよ。では、返事とその県の県庁所在地を比べて、合っているかどうかを確認するにはどうしたらいいだろう？

ルビー では条件が同じかどうかを確認するのに ==（イコールが2つ）を使うよ。これで answer と県庁所在地の「まつえし」が同じかどうか比較すればいいんだ。比較した結果、「正しい」か「まちがい」かがわかるよ。プログラムは次のようにつくろう。

```
1: self.when(:flag_clicked) do
2:    ask(" しまねけんのけんちょうしょざいちはどこかな ")
3:    if answer == " まつえし "
4:    else
5:    end
6: end
```

続いて、「もし～なら、でなければ」で実行する中身をつくろう。

ブロック

1段目に、ネコが「せいかい！」と2秒間言うブロックを置こう。
2段目には、ネコが正しい答えを2秒間言うようにしよう。これまでの章でやったことの応用でできるよ。ちょっと考えてみよう。
次のようにできたかな。

が押されたとき

しまねけんのけんちょうしょざいちはどこかな と聞いて待つ

もし 答え = まつえし なら

せいかい！ と 2 秒言う

でなければ

まつえしだよ と 2 秒言う

ルビー

4行目と6行目（elseの前後）に次のように書くといいね。

```
1: self.when(:flag_clicked) do
2:   ask("しまねけんのけんちょうしょざいちはどこかな")
3:   if answer == "まつえし"
4:     say("せいかい！", 2)
5:   else
6:     say("まつえしだよ", 2)
7:   end
8: end
```

これでなぞなぞゲームができたね。

▷▷ リストを使って、なぞなぞの問題と答えを増やそう！

今までだとネコが出せるなぞなぞは1つだけ。なぞなぞゲームとしては問題が少なすぎるね。だからネコにいっぱい問題を出してもらうようにしよう。まずはネコが出す問題のリストをつくろう。

リストを使う

スモウルビーで使える県庁所在地のリストをつくろう。つまり、なぞなぞの問題と

その答えの一覧だね。つくりながら、リストとはどんなものかもわかるよ。

　さっそくリストを用意し、その中からネコが問題を選んで出すように、新たなプログラムをつくろう。リストには番号があって、問題とその答えを同じ番号にすれば、ネコが出題しやすくなるよ。今回はさっきと同じ県庁所在地と県名のなぞなぞにするよ。

県庁所在地と県名のリストをつくろう

　地図や社会の教科書を見て、県庁所在地の名前と県名がちがうものを見つけよう。全部で19都道府県あるんだ。これには、さいたまと埼玉県をふくむよ。見つけられたかな。

　見つけたら、ネコに出題してほしい県を3つだけ選ぼう。その3つをリストに入れよう。19個もリストに入れるのは大変だからね。

ブロック　**ルビー**　**共通**

　変数の「リストを作る」で、「けんちょうしょざいち」と「けんめい」という名前のリストをつくろう。

「リストを作る」をおして、キーボードを使ってリストの名前（リスト名）をつけよう。
この例での名前は、「けんめい」(KENMEI) と「けんちょうしょざいち」(KENTYOUSYOZAITI) にするよ。この段階で
はリストの中に、まだ中身は何も入ってないんだ。
左の画面の下の＋をおしたら、右の画面のようになるよ。

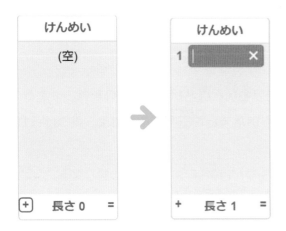

この状態になるとリストに県名を入力できるんだ。キーボードを使って打ちこもう。
もしまちがえてもそこをクリックすると、もう一度打ちこめるよ。
リストの中には３つの県を選んで追加しよう。県を選んで追加したら、県庁所在地
のリストの中身をつくってみよう。

ここで大事なのは、県名のリストに入っている県名の順番と、その県の県庁所在地
の順番がいっしょであること。ちがうと合っているか、まちがっているかの判定が難
しくなるからね。じゃあ、がんばって打ちこんでみよう。

リストはつくれたかな。

ここでは、 しまね（まつえ）、ぐんま（まえばし）、いわて（もりおか）をリストにするよ。このとおりにリストをつくると、次のようになるね。

リストを使ってバラバラになぞなぞを出す

つくったリストの中のどれかを選んでなぞなぞを出す方法を考えよう。出す順番はバラバラの方が面白いよね。ここで使えるのが「乱数」なんだ。乱数というのは、順番に並んでいないバラバラの数字という意味なんだ。乱数を使えば、自分の決めたはんいの数字をバラバラに出すことができるんだね。今回の場合、問題が3つあるから、このブロックでは1〜3までの数字、つまり1、2、3をバラバラに出してくれるようにしたいね。乱数で何番目の県と県庁所在地を選ぶかを決めよう。

この乱数をどこかに保存しておいて、何番をネコが指定したかを（問題として出したかを）、覚えておきたいね。そういうときは「変数」を使おう。変数には、数字や文字列（文章）を入れておくことができるんだ。入れておいた数字や文字を入れかえることもできるよ。

ブロック

次のブロックを見て。

1 から 3 までの乱数

これが乱数をつくるブロックだよ。このブロックは、いつも数字を入れているところ（白いスペース）に、同じように数字を入れることができるよ。このブロックの数字の部分を書きかえることによって、出てくる乱数のはんいを変えることができるんだ。

乱数ができたら、この乱数を入れておくための、変数をつくろう。同じ乱数を何度も使いたいから、変数として保存しておくんだね。

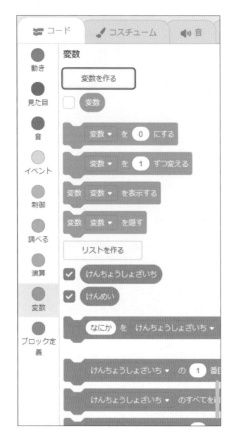

変数をつくるには、上の図の赤わくで囲ったところをクリックしよう。すると、変数の名前を何にするか聞かれるよ。キーボードで変数の名前を入れよう。ここでは名前を「えらんだけんのばんごう」にしよう。

入れたら OK をおそう。うまく変数をつくれると、ステージの上につくった変数の名前が出るよ。

続いて、以下のブロックの中にさっきの乱数（のブロック）を入れよう。

すると、次のようになるね。

えらんだけんのばんごう ▼ を 1 から 3 までの乱数 にする

続いて、次のブロックの右側に、変数「えらんだけんめいのばんごう」を入れよう。

```
けんめい ▼ の 1 番目
```

すると次のようになるね。

```
けんめい ▼ の えらんだけんのばんごう 番目
```

このブロックをクリックするとバラバラの順番で県庁所在地が出てくるよ。

ルビー

```
rand(1..3)
```

これが乱数を出すプログラムだよ。1..3 は出てくる乱数のはんいだ。出た乱数を変数に入れるには、次のようにするんだよ。

```
$ えらんだけんのばんごう = rand(1..3)
```

これでバラバラの数字が入った変数をつくれる。 **ルビー** で変数つくるときには **ブロック** のような複雑な手順はいらないんだ。
「$ えらんだけんのばんごう」を使ってリストの位置を指定するには、次のようにしよう。

```
list("$ けんめい ")[$ えらんだけんのばんごう ]
```

このように右側の ［ ］ の中で指定すればいいんだ。これで、県名のリストの中をバラバラに取り出すことができるようになった。

リストを使ってなぞなぞを出す

次はネコが「〜〜のけんちょうのしょざいちはどこかな」と聞いてくるようにしたいね。これはさっき書いたプログラムを改造しよう。

ブロック

> [What's your name?] と聞いて待つ

このブロックは、白い部分に入れた内容をネコが質問してくれるよ。このブロックの白い部分に次のブロックを入れると、県名をしゃべってくれるよ。

> けんめい ▼ の えらんだけんのばんごう 番目

でも、ちゃんと出題の形にしたいね。ここで「演算」の中にある次のブロックを使おう。

> (apple) と (banana)

これは、左の文章と右の文章を合体させるんだ。左側に、次のブロックを入れよう。

> けんめい ▼ の えらんだけんのばんごう 番目

右側には、「のけんちょうしょざいちはどこかな」^{NOKENTYOUSYOZAITIHADOKOKANA}とキーボードで入れよう。すると、次のようになるね。

> けんめい ▼ の えらんだけんのばんごう 番目 と のけんちょうしょざいちはどこかな と聞いて待つ

これでネコが出題してくれるよ。今までのプログラムをつなげると次のようになるね。

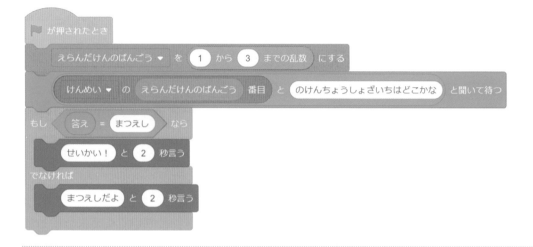

62

ask( )

これがかっこの中を質問してくれる命令だね。ネコに質問してほしい内容は（バラバラの順番のけんめい）のけんちょうしょざいちはどこかな、だね。バラバラに県名をしゃべってもらうには、次のように書こう。

ask($list("けんめい")[$えらんだけんのばんごう])

これに「のけんちょうしょざいちはどこかな」を加えてしゃべってほしいなら、算数でやるみたいに＋を使って、次のように書こう。

ask(list("$けんめい")[$えらんだけんのばんごう] ＋ "のけんちょうしょざいちのけんはどこかな")

こうするとネコが質問してくれるよ。今までにつくったプログラムを組み合わせると、次のようになるね。

```
1: self.when(:flag_clicked) do
2:   $えらんだけんのばんごう = rand(1..3)
3:   ask(list("$けんめい")[$えらんだけんのばんごう] ＋ "のけんちょうしょざいちはどこかな")
4:   if answer == "まつえし"
5:     say("せいかい！", 2)
6:   else
7:     say("まつえしだよ", 2)
8:   end
9: end
```

「けんめい」と「けんちょうしょざいち」のリストがじゃまになってネコが聞いてく

る問題が見えないなら、画面の左側のブロックパレットの「変数を作る」と「リストを作る」の下にある青いチェックをクリックして消そう。そうするとリストは見えなくなるよ。消えるわけじゃないから安心してね。

リストを使ったなぞなぞの答え合わせ

返事（答え、回答）が合っているかを確認しよう。合っていればネコが「せいかい！」と言って、ちがうなら「まつえしだよ」と言ってくれるようにさっきしたね。その「まつえし」としたところを選んだ県の県庁所在地にしたいね。どうすればいいだろう。

> けんめい ▼ の えらんだけんのばんごう 番目

ブロック では、このブロックを選んだときと同じようにするとできるよ。やってみよう。

ブロック

> 答え = まつえし

このブロックの右側に、次のブロックを入れよう。

> けんちょうしょざいち ▼ の えらんだけんのばんごう 番目

すると次のようになるね。

> 答え = けんちょう ▼ の えらんだけんのばんごう 番目

プログラム全体は、次のようになるよ。

ルビー

```
list("$けんめい")[$えらんだけんのばんごう]
```

これが、以下と同じかどうかを確認しよう。

```
answer
```

さっきのプログラムを書きかえて、次のようにしよう。

```
1: self.when(:flag_clicked) do
2:   $えらんだけんのばんごう = rand(1..3)
3:   ask(list("$けんめい")[$えらんだけんのばんごう] + " のけんちょ
うしょざいちのけんはどこかな")
4:   if answer == list("$けんちょうしょざいち")[$えらんだけんのば
んごう]
5:     say("せいかい！", 2)
6:   else
7:     say("まつえしだよ", 2)
8:   end
```

（次ページに続く）

```
9:  end
```

▷▷ 分岐させよう

1段目にネコが「せいかい！」と2秒間言うブロックを置いたね。
2段目にはネコが正しい答えを2秒間言うようにしよう。これまでの章でやったことの応用でできるよ。

ブロック

これでネコが質問してくれる流れができたね。 ▶ をおしたときに実行できるようにしているよ。

ルビー

```
1:  self.when(:flag_clicked) do
2:    $えらんだけんのばんごう = rand(1..3)
3:    ask(list("$けんめい")[$えらんだけんのばんごう] + "のけんち
      ょうしょざいちはどこかな")
4:    if answer == list("$けんちょうしょざいち")[$えらんだけんのば
      んごう]
5:      say("せいかい！", 2)
```

66

```
6:    else
7:      say(list("$けんちょうしょざいち")[$えらんだけんのばんごう]
      + "がせいかいだよ", 2)
8:    end
9: end
```

できたかな？ これを応用するとほかのクイズもつくれるよ。さっそくやってみよう。

発展 自分の町をしょうかいするプログラムをつくろう

みんなはどこに住んでいるかな？ Ruby の作者、まつもとさんは島根県松江市に住んでいるよ。島根県松江市がどこにあって何が有名か知っているかな？

島根県に住んでいる人は知っているかもしれないけど、住んでない人は分からないかな。自分の住んでいない、住んだことがない町のことはよく知らないよね。だからほかの人に自分の住んでいる町をしょうかいする看板プログラムをつくろう。町の絵をかいて（これが看板になるよ）、気になるところをクリックしたら、そのしょうかい文が出るプログラムだ。ここでは松江市を例にしてつくるよ。みんなは自分の住んでいる町をしょうかいするプログラムをつくろう。

注意

ここでつくった町のしょうかいプログラムをインターネットにアップロードすることができるよ。このとき、自分が住んでいる家の住所や電話番号、メールアドレス、自分の名前といった君の情報はわからないようにしよう。世界には悪い人もいるから君のつくったプログラムを見て、君に悪意を持って近づいてくるかもしれない。そうならないように気をつけよう。

▷▷ しょうかいするモノを決める

プログラムを書く前にしょうかいするモノを決めよう。しょうかいするモノは、例えば、自分の学校、近くの山や川、お城のあと地などのしせき、などだね。この本では松江城の例について説明するよ。

▷▷ 絵をかこう

　自分の町をしょうかいする看板をつくるので、その土台となる地図をかきたいね。
かいた地図の上に自分のしょうかいしたいモノを置いていこう。絵をかいていくには、
下の画像の右下にある絵のマークにマウスカーソルを合わせて表示されたメニューの、
下から2つめの「描く」を選ぼう。

　すると背景がかけるようになるよ。赤わくのところに絵がかけるんだ。

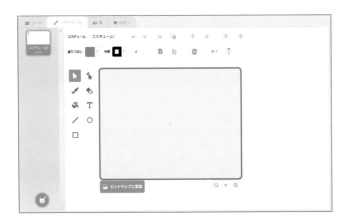

　ここでみんなの住んでいる町の道や地形をかこう。このとき、しょうかいしたい道
や山、建物はかかないようにしよう。太い道だけかくとわかりやすいよ。ここでは地
面を茶色でぬりつぶすだけにしておくよ。
　さて、今からしょうかいしたいモノをかこう。🐻にカーソルを合わせて下から二番
目の「描く」を選ぼう。

すると下の画面になるよ。この画面には、もう絵がかいてあるね。みんなの町のしょうかいしたいモノをかこう。ここではまず松江城をかいたよ。

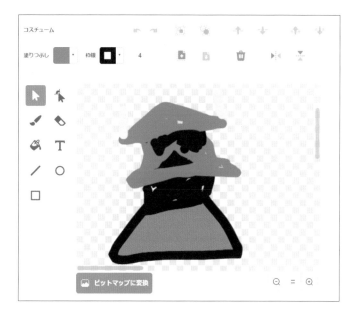

これを地図の上のあるべき場所に配置しよう。かいた絵が大きかったり、小さかったりしたら赤わくのところの数字を変えて調整をしよう。

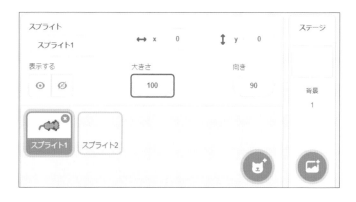

しょうかいしたいモノをステージ上に置いたら、それをしょうかいするプログラムをつくろう。クリックしたらかいた絵が自分を説明するような内容にしよう。

このスプライトが押されたとき

このブロックを置いてから、その下に次のブロックを置こう。

こんにちは! と 2 秒言う

こんにちは！のところにしょうかい文を書こう。全文を一気に書くんじゃなくて、短く切って読みやすくしよう。松江城の説明はこう書いたよ。

このスプライトが押されたとき

私は松江城（まつえじょう）だ と 2 秒言う

関ヶ原(せきがはら)のたたかいの後に作られた城(しろ)だ と 2 秒言う

天守閣（てんしゅかく）は国宝(こくほう)にも指定(してい)されている と 2 秒言う

このようにして、しょうかいしたいモノすべての説明文をつくろう。

```
1: self.when(:clicked) do
2:   say(" こんにちは ", 2)
3: end
```

まずは、このようにプログラムを書こう。それから、「こんにちは」の部分を説明文に書きかえよう。全文を一気に書くんじゃなくて短く切って読みやすくしよう。文章を追加するには say と書いている行と同じことを書こう。松江城の説明はこう書いたよ。

```
1:  self.when(:clicked) do
2:    say(" 私は松江城（まつえじょう）だ ", 2)
3:    say(" 関ヶ原（せきがはら）のたたかいの後に作られた城（しろ）だ ", 2)
4:    say(" 天守閣（てんしゅかく）は国宝（こくほう）にも指定（してい）され
      ている ", 2)
5:  end
```

このようにして、しょうかいしたいモノすべての説明文をつくろう。

まずは、ひとつできたかな？ 同じようにして、モノと説明文を増やしていけばいいね。絵をかくのがつらかったら、あらかじめ用意されている絵を使ってもいいね。

さっきの例では、宍道湖、朝酌川、総合体育館、神社を加えて最終的に次のようになったよ。みんなも自分の町の看板をつくってみよう。

第 **4** 章

シューティングゲームを
つくろう！

基本 シューティングゲームをつくろう

みんなゲームは好きかな？ パソコンでゲームをできるのは知っているかな？ パソコンにも有名なゲームがいろいろあるよね。スモウルビーではなんと、パソコンゲームをつくることができるよ。いっしょにやってみよう。

▷▷ シューティングゲームのやり方

ここではシューティングゲームをつくろう。シューティングゲームっていうのは、自機（主人公＝ユーザーが操る機体）がタマを発射して相手をやっつけるゲームのことだね。ここでは、ネコがタマを発射してガイコツをやっつけるゲームをつくろう。

どうやってつくればいいかな？ まずは、ゲームのやり方を考えよう。

1 キーボードの方向キーの上下を
おしたら、ネコが上下に移動す
る

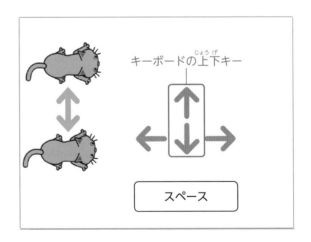

2 キーボードのスペースキーをおし
たら、ネコが右に向かってタマ
を出す

3 ガイコツはつねに画面右はしで
上下に移動する

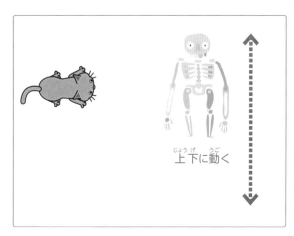

4 ガイコツにタマが当たったら、ガイコツは消えるようにする

こんな感じかな。では、プログラムをつくってみよう。

▷▷ ネコを上下に動かす

方向キーの上下をおしたら、画面左はしに置いたネコが上下に動くようにしよう。
　ここでは、キーボードをおしたら反応する命令があるから、それを使おう。キーボードの方向キーの上下をおしたら、ネコも上下に動くようにするんだね。

ブロック

キーボードをおしたら反応するブロックはどれかわかるかな？　　 カテゴリーにある次のブロックだよ。

スペース ▼ キーが押されたとき

「スペース▼」と書いてあるところをクリックして変えることで、好きなキーを選べるんだ。

このブロックを 2 つ出して、それぞれ「上向き矢印」、「下向き矢印」を選んでおこう。選ぶキーは「w」「s」でもいいよ。

ルビー

ルビーには、次の命令があるよ。キーをおしたときに動く命令なんだ。赤文字のところを変えると、好きなキーで反応するようにできるよ。

```
self.when(:key_pressed, "space") do

end
```

上向き矢印は「up arrow」、下向き矢印は「down arrow」だよ。ほかのキー、例えば「w」と「s」を使いたいなら、そのままでもいいよ。

次は、上向き矢印をおしたら、ネコが上に移動するようにしたいね。ネコに上に移動してもらうには、次のようにして y 座標を大きくするんだ。

ブロック の場合は、 y座標を 10 ずつ変える を使おう。

ルビー の場合は、次のとおり。

```
self.y += 10
```

ところで、「y 座標」って、何のことかわかるかな？

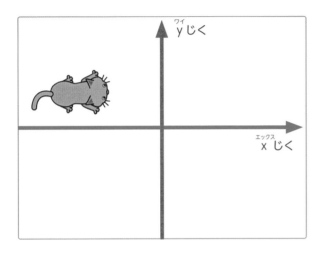

y 座標っていうのは上下の場所のことだよ。例えば y 座標が大きくなるとネコは y じくの赤い矢印の方向、つまり上に進むんだ。逆に y 座標が小さくなるとネコは矢印の方向とは逆の下に進むよ。

また、左右の場所は、 x 座標っていうんだ。 x 座標が大きくなるとネコは x じくの青い矢印の方向、つまり右に進むよ。 x 座標が小さくなると、左に進むんだね。

さらに、下向き矢印キーをおしたら、ネコが下に移動するには、 y 座標が小さくなるように数字の頭に－（マイナス）をつけるといいよ。

y座標を -10 ずつ変える

```
self.y += -10
```

これでネコを上下に動かすことができるね。さっそく、プログラムを書いてみよう。次のようにすればいいね。

```
上向き矢印 ▼  キーが押されたとき
y座標を  10  ずつ変える
```

```
下向き矢印 ▼  キーが押されたとき
y座標を  -10  ずつ変える
```

ルビー

```
1: self.when(:key_pressed, "up arrow") do
2:   self.y += 10
3: end
4:
5: self.when(:key_pressed, "down arrow") do
6:   self.y += -10
7: end
```

▷▷ネコがタマを出す

次は、スペースキーをおしたらネコが右に向かってタマを出す（発射する）ように
しよう。

タマにするスプライトを選ぼう

まず、ネコがタマとして何を出すかを選ぼう。画面の右下にあるスプライトの一覧
の 🐻 をクリックしてみよう。

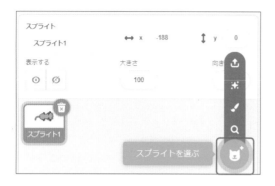

開<ruby>ひら<rt></rt></ruby>いた画面<ruby>がめん<rt></rt></ruby>で選<ruby>えら<rt></rt></ruby>んだ画像<ruby>がぞう<rt></rt></ruby>をステージに追加<ruby>ついか<rt></rt></ruby>できるよ。好<ruby>す<rt></rt></ruby>きな画像<ruby>がぞう<rt></rt></ruby>を選<ruby>えら<rt></rt></ruby>ぼう。

画像<ruby>がぞう<rt></rt></ruby>を選<ruby>えら<rt></rt></ruby>んだらステージに出<ruby>で<rt></rt></ruby>てくるよ。この本<ruby>ほん<rt></rt></ruby>では「Arrow1」という矢印<ruby>やじるし<rt></rt></ruby>を選<ruby>えら<rt></rt></ruby>ぶね。これをどうやってタマとして前<ruby>まえ<rt></rt></ruby>に飛<ruby>と<rt></rt></ruby>ばすか考<ruby>かんが<rt></rt></ruby>えよう。

Arrow1 を前<ruby>まえ<rt></rt></ruby>に飛<ruby>と<rt></rt></ruby>ばそう

1 スペースキーをおすと、タマがネコの前に出てくる

2 タマが右はしに当たるまで飛ぶ（移動する）

3 右はしに当たったらタマを消す

　このようにしてタマを出そう。でも、まずは見栄えがいいように、スペースキーがおされるまでタマを隠そう。

ブロック

🚩 がおされたら、⚫ 見た目 カテゴリーの 隠す を実行するようにしよう。

🚩 が押されたとき

隠す

ルビー

🚩 がおされたら hide というタマを隠す命令を実行しよう。

```
1: self.when(:flag_clicked) do
2:    hide
3: end
```

　スペースキーがおされたら、ネコの前にタマを移動させよう。ネコには「スプライト1」という名前がついているので、タマが「スプライト1」にいくようにすればいいね。

ブロック

 スプライト1 ▼ へ行く を スペース ▼ キーが押されたとき の下につけよう。そして、表示する でタマを表示するようにしよう。

ルビー

go_to(" スプライト 1")

これがネコ（スプライト１）のところにいく命令だよ。
表示する命令は、次のとおりだよ。

show

これらの命令と、スペースキーをおしたときに動く命令を組み合わせて、タマをネコのところに移動させてから表示しよう。

```
1: self.when(:flag_clicked) do
2:   hide
3: end
4:
5: self.when(:key_pressed, "space") do
6:   go_to(" スプライト 1")
7:   show
8: end
```

▷▷タマが右はしまでいくと、消える

次に、タマがはしに当たるまで前に進むようにしよう。そして、はしに当たるとタマを隠して見えなくしよう。

タマが「右はしに当たるまで」「ずっと前に進む」ようにするには、を使うと上手にできるんだ。

ここでは、◆ の中に、◆ 端 ▼ に触れた を入れよう。そうすると端に触れる（はしに当たる）まで、◆ の中をくり返すよ。はしに当たるまでは右にいくよう、中には x座標を 10 ずつ変える を入れよう。

そして、◆ の中のとおり、はしに当たると、◆ ♪ の下のブロックを実行するよ。下に 隠す のブロックをつけると、タマが隠れて見えなくなるよ。

タマが「右はしに当たるまで」「前に進む」ようにするには、次の命令を使うと上手にできるんだ。

```
until touching?("_edge_")

end
```

ここでは2つの新しい命令を使っているよ。

まず touching?("_edge_") は「端に触れた」、いいかえると「はしに当たったら」という命令だよ。_edge_ を _mouse_ にすると「マウスに当たったら」にできるんだよ。

もう1つの命令は、until ～ end だよ。これは「はしに当たるまで」とか「タマに当たるまで」といったように、何か起きるまでくり返すための命令だよ。

タマを右に進めるには次の命令を使おう。

self.x += 10

そして、はしに当たったらタマが消えるようにするには、until ～ end のあとに次の命令を加えよう。

hide

これらの命令を組み合わせて次のようにタマのプログラムを変えよう。

```
 1: self.when(:flag_clicked) do
 2:   hide
 3: end
 4:
 5: self.when(:key_pressed, "space") do
 6:   go_to("スプライト1")
 7:   show
 8:   until touching?("_edge_")
 9:     self.x += 10
10:   end
11:   hide
12: end
```

ここまでできたらスペースキーと方向キーをおして、ネコを動かしてタマを発射してみよう。タマが出ないときはまちがってネコのプログラムを変えてしまっているかもしれないよ。そのときは、タマのスプライトをクリックしてからプログラムを変えよう。

タマが発射される

▷▷ 動く相手をつくろう

シューティングゲームには相手が必要だ。ここでは、ガイコツに相手になってもらおう。

ガイコツをステージにあげるためには、画像の右下の  をクリックしよう。

そうしたら好きなスプライトが選べるよ。赤わくで囲んだガイコツ（Skeleton）を選ぼう。ほかの絵を選んでもいいよ。

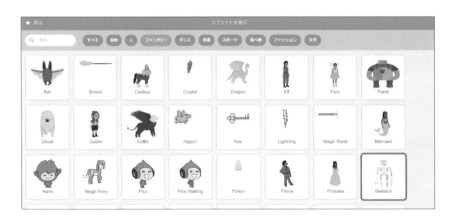

ガイコツを選んだ場合は、こんな感じでステージに出てくるよ。

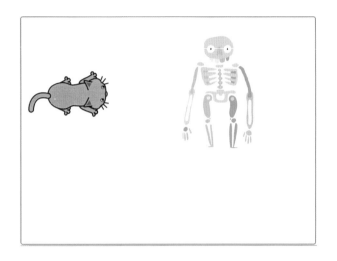

ここでガイコツをドラッグ・アンド・ドロップして右はしに動かそう。このとき画面のはしに当たらないように気をつけよう。

次に、ガイコツを上下に移動させよう。

次の命令を使ってみよう。

もし端に着いたら、跳ね返る

bounce_if_on_edge

これは、次の命令でスプライトが動いているときに、はしにぶつかるとスプライトをはね返らせる命令なんだ。

move(10)

これらを組み合わせて、ガイコツがいったりきたりするようにできるよ。ただ、ガイコツは今、右を向いているんだ。10歩動かすと、右にいってしまうよね。横にではなく、上下に動くようにしたいよね。そのためにはガイコツの向きを変えてみよう。

　スプライトの「向き」の 90 のところをクリックして出た画面の赤で囲ったところをドラッグして、矢印の向きを 0 度にしてみよう。これでガイコツが上を向くよ。

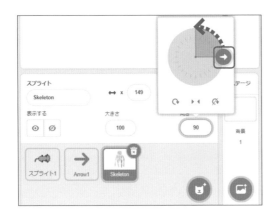

　でも、すごく変な感じだね。ガイコツの向きが変わって、横を向いちゃった。次の命令を使って、ガイコツの向きを変えないようにしよう。

回転方法を　左右のみ ▼　にする

```
self.rotation_style = "left-right"
```

　これでガイコツが左右しか向かなくなるよ。この命令を使って「ずっと、ガイコツが上に移動して、はしにぶつかったらはね返る」プログラムをつくってみよう。

ブロック

ルビー

```ruby
1:  self.when(:flag_clicked) do
2:    self.rotation_style = "left-right"
3:    loop do
4:      move(10)
5:      bounce_if_on_edge
6:    end
7:  end
```

▷▷タマに当たると相手が消える

　シューティングゲームづくりも終わりに近づいてきたね。 基本 の最後は、タマに当たると相手のガイコツが消えるようにしよう。でも、気をつけないといけないのが、消したガイコツをどこかで表示しないといけないこと。ここでは ▣ をおしたときに表示するようにしよう。

　まずは、ガイコツがタマに当たったかどうかを調べるときに使うので、タマの名前を確認しておこう。画面の右下のスプライトの一覧にあるよ。矢印の画像なら「Arrow1」だったね。別の画像を選んだ人はその名前を覚えておこう。

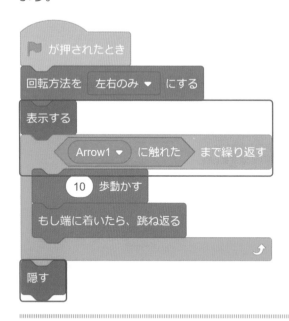 の「マウスのポインター▼」をおして、タマの名前を探して選ぼう。Arrow1 の場合は、 がタマに当たったかどうかを調べる命令になるよ。

さっそく、表示する と まで繰り返す と 隠す を組み合わせて、ガイコツがタマに当たるまで上下に動いて、タマに当たったら消えるようにしよう。

消したガイコツは、さっきいったように、🚩 をおしたときにまた表示するようにしよう。

🚩 が押されたとき
回転方法を 左右のみ ▼ にする
表示する
　Arrow1 ▼ に触れた まで繰り返す
　　10 歩動かす
　　もし端に着いたら、跳ね返る
隠す

```
touching?("Arrow1")
```

これがタマに当たったかどうかを調べる命令だよ。赤文字のところをタマの名前にしよう。タマとして矢印を選んでいたら「Arrow1」でいいし、別のものを選んでいたらその名前にしよう。

touching? を覚えているかな。はしに当たったかどうかを調べるのに使ったよね。そのときは赤文字のところを _edge_ にしたね。赤文字のところを変えるだけで、いろいろなものに当たったかどうかを調べられる便利な命令なんだね。

さっそく、show と until ～ end と hide を組み合わせて、ガイコツが、タマに当たるまで上下に動いて、タマに当たったら消えるようにしよう。

次のプログラムができたかな。もしガイコツが消えなかったら、プログラムを見直してみよう。

```
1: self.when(:flag_clicked) do
2:   self.rotation_style = "left-right"
3:   show
4:   until touching?("Arrow1")
5:     move(10)
6:     bounce_if_on_edge
7:   end
8:   hide
9: end
```

発展 シューティングゲームをもっと楽しくしよう

▷▷タマをたくさん出せるようにする

みんな、さっそく自作のゲームで遊んだかな。なにか気づいたことはないかな？ そう、タマが1発だけしか、発射できないね。もっともっといっぱい出るようにしたいね。そういうときは「クローン」というスモウルビーの機能を使おう。クローンは自分と同じスプライトをつくる命令なんだ。クローンを使ってタマをいっぱいつくろう。

手順は、次ページのとおりだ。赤文字がこれまでのプログラムから変わったところだよ。

1 スペースキーをおすと、タマをクローンしてつくり、それがネコの前に出てくる

2 つくったタマが右はしに当たるまで飛ぶ

3 右はしに当たったらつくったタマを消す

ブロック

> 自分自身 ▼ のクローンを作る

これがクローンをつくる命令だよ。次のブロックの下につけよう。

> スペース ▼ キーが押されたとき

これでスペースキーをおすとクローンがつくられるよ。

クローンに対する命令はどのように書けばいいかな。スモウルビーには、クローンがつくられたとき（クローンされたとき）のための命令があるよ。それがこれだね。

> クローンされたとき

逆に、次の命令を使うとクローンが消えるよ。タマを消すのに使おう。

> このクローンを削除する

これらを組み合わせたプログラムは次のようになるんだ。

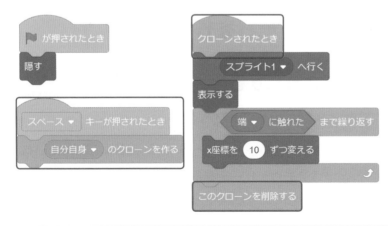

```
create_clone("_myself_")
```

これがクローンをつくる命令だよ。スペースキーをおされたときに動くようにしよう。
クローンがつくられたときに実行される命令は、次のようになるよ。

```
self.when(:start_as_a_clone) do

end
```

次の命令を使うとクローンが消えるよ。タマを消すのに使おう。

```
delete_this_clone
```

プログラム全体はこうなるよ。

```
 1: self.when(:flag_clicked) do
 2:   hide
 3: end
 4:
 5: self.when(:key_pressed, "space") do
 6:   create_clone("_myself_")
 7: end
 8:
 9: self.when(:start_as_a_clone) do
10:   go_to("スプライト 1")
11:   show
12:   until touching?("_edge_")
13:     self.x += 10
```

（次ページに続く）

```
14:     end
15:     delete_this_clone
16: end
```

▷▷ ガイコツをたくさん出す

　今は、ガイコツは1体だけだね。いっぱい出てくるようにして、本格的なゲームみたいにしたいよね。タマを出すときと同じように右はしから、クローンされた敵（ガイコツ）が出てくるようにしよう。出てくる場所は、右はしのいろんな場所にしよう。

　そうなるとガイコツに加えるへんこうは、次のようになるね。

1 上下に移動するだけじゃなく、ネコに近づいてくる
2 ガイコツを定期的に右はしのいろんな場所にクローンする

　さっそくつくってみよう。

　🚩 をおしたら、ガイコツを1秒ごとにずっとクローンをし続けるようにしよう。このとき、クローンする元のガイコツは隠してしまおう。
　クローンされたガイコツは、上下に動くだけじゃ面白くないよね。左に、つまりネコに近づいてくるようにしよう。

左に歩くようにする

　左に歩くようにするには、ガイコツの向きを少しだけ左にかたむけておこう。すると上下に移動しながら左に動くようになるよ。

90

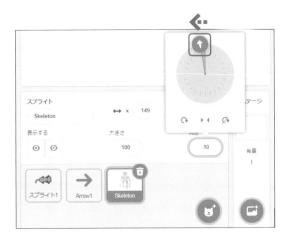

ガイコツをクローンする

　ガイコツを定期的に右はしのいろんな場所にクローンするには、タマをいっぱい出したときと同じように、ガイコツをクローンしよう。タマはスペースキーがおされたときだったけど今回は「 ▶ がおされたとき」にガイコツを「隠して」「ずっと」「1秒」ごとに「自分自身のクローンを作る」ようにしてみよう。

ブロック

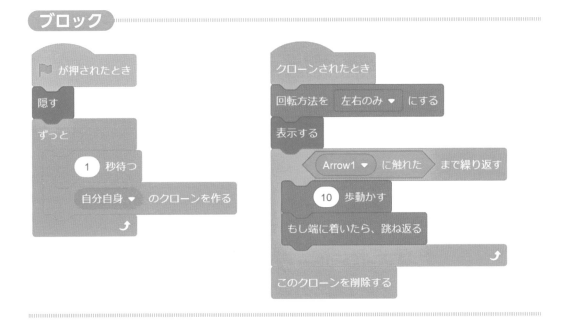

```ruby
 1: self.when(:flag_clicked) do
 2:   hide
 3:   loop do
 4:     sleep(1)
 5:     create_clone("_myself_")
 6:   end
 7: end
 8:
 9: self.when(:start_as_a_clone) do
10:   show
11:   self.rotation_style = "left-right"
12:   until touching?("Arrow1")
13:     move(10)
14:     bounce_if_on_edge
15:   end
16:   delete_this_clone
17: end
```

　ガイコツをいろんな場所にクローンする方法だけど、スモウルビーにはバラバラな数字を出す命令があるよ。それを使ってみよう。

　ここで気をつけないといけないことがあるよ。ガイコツが移動できるはんいはその大きさにもよるけれど、画面の一番小さなｙ座標の「-180」から、一番大きな「180」までなんだ。このことに気をつけてバラバラな数字を出そう。

　1 から 10 までの乱数 がバラバラな数字を出す乱数のブロックだよ。

　左の 1 を -180 に、右の 10 を 180 に変えて、-180 から 180 までの乱数を出すように数字を書きかえよう。

書きかえたら  をy座標を指定しているところに入れよう。
x座標は149ぐらいにしよう。次のようになるよ。

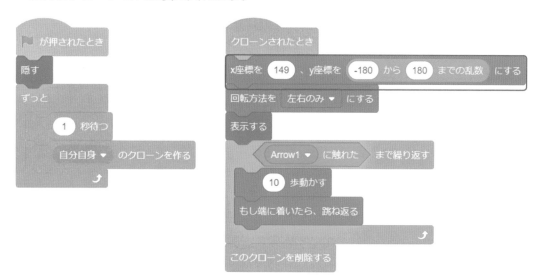

これをクローンされた後に入れよう。

ルビー

ガイコツにいってほしい座標に移動してもらうには、次のように書こう。

```
go_to([149, rand(-180..180)])
```

rand(1..3) はやるたびに1から3の乱数をつくる命令だよ。1から3までの数字が書いてあるさいころを振るのと同じ意味だね。この乱数を-180から180までの数字が出るように書きかえてガイコツのy座標にしたんだ。ガイコツのx座標は149でいいかな。

赤文字のところにある数字がx座標、青文字のところにある数字がy座標を表しているんだ。これでガイコツが右はしのいろんな位置に移動するよ。これをクローンされた直後に入れよう。

プログラム全体は次ページのようになるよ。

```
 1: self.when(:flag_clicked) do
 2:   hide
 3:   loop do
 4:     sleep(1)
 5:     create_clone("_myself_")
 6:   end
 7: end
 8:
 9: self.when(:start_as_a_clone) do
10:   go_to([149, rand(-180..180)])
11:   self.rotation_style = "left-right"
12:   show
13:   until touching?("Arrow1")
14:     move(10)
15:     bounce_if_on_edge
16:   end
17:   delete_this_clone
18: end
```

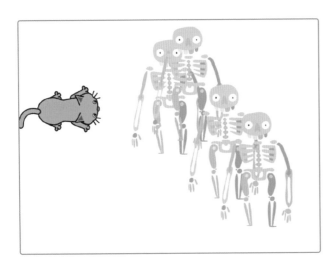

これで をおすとガイコツがいっぱい出てくるよ。

▶▶さらにゲームを楽しくするには

　ネコやガイコツがちょっと大きいかな？　とか、ガイコツがネコにふれたらゲーム
オーバーにしたいな？　とかいろいろ改造したいところはあるんじゃないかな。ここか
らは自分でやってみよう。

　出てくる敵の種類や大きさを変えたり、得点をつけたり、動きを変えたり……。友
だちといっしょに考えてみるのも面白いかもね。

第 **5** 章

幾何学模様を
かいてみよう！

基本 **正多角形をかこう**

　みんな、幾何学模様って知っているかな？　下にあるのが幾何学模様の1つだよ。きれいだね。幾何学模様は、正方形や三角形といった多角形、あるいは円などの図形をたくさん組み合わせてできた模様のことなんだ。紙の上ではえんぴつ、ものさし、分度器を使ってかけるよ。だけど、実際にかくのはちょっと大変だよね。

　そこで、スモウルビーを使ってみよう。スモウルビーだと、すごく簡単にかけるんだ！下の幾何学模様もスモウルビーでつくったんだよ。いっしょにつくってみよう。

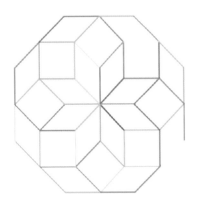

▷▷ **正三角形をかこう**

　スモウルビーを使うととても簡単とはいえ、いきなり複雑な幾何学模様をかくのは難しそうだね。まずは、より簡単そうな正三角形をかいてみよう。

これが正三角形だよ

96

そもそも正三角形って何か知っているかな？ すべての辺の長さが同じで、3つの角の角度もすべて同じ60度の三角形のことだね。この正三角形を紙にかくときは、えんぴつ、ものさし、分度器を使うとかけるよね。そのときの手順はわかるかな？ 少し考えてみよう。

そう、手順は次のようになるね。

1 えんぴつを持つ

2 えんぴつを（紙に）下ろす

3 （ものさしを使って）決まった長さまでまっすぐ動かして線をかく

4 （分度器を使って）かいた線から60度のところに向かってえんぴつを動かし始める

5 **3**と**4**を2回くり返す（**3**と**4**は全部で3回くり返すことになるよ）

スモウルビーでも同じ手順でかけるんだ。いっしょにやってみよう。

1 えんぴつを持つ

画面左下にある 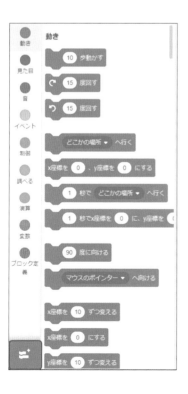 をおしてみよう。

すると「ペン：スプライトで絵を描く。」を含む画面が出てくるよ。赤わくで囲んだ「ペン」をクリックしよう。

これで画面左はしのカテゴリーにペン ✏ が出るよ。 ✏ をクリックして追加されたブロックの一覧を表示しよう。

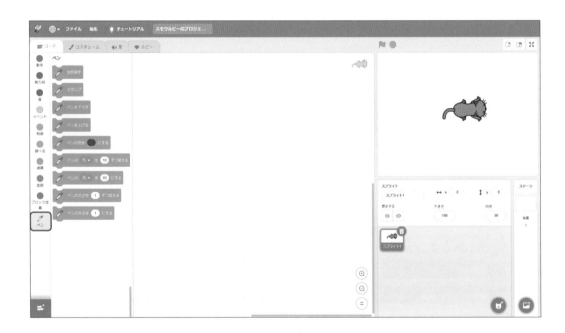

2 えんぴつを下ろす
3 決まった長さまでまっすぐ動かして線をかく

ブロック

 がペンを下ろす命令だよ。ペンを下ろしたあと、ネコを動かすとネコが線を引いてくれるよ。ペンを下ろしてから、線を引くためネコに歩いてもらうプログラムは次のようになるよ。

ルビー

まず、ペンを下ろす命令を示すよ。

pen_down

これにネコが動く命令と 🏳 をおしたときに動く命令を組み合わせて、まっすぐな線を引くようにすると、次のプログラムになるよ。

```
1: self.when(:flag_clicked) do
2:   pen_down
3:   move(50)
4: end
```

線はまっすぐに引けたかな。ペンを下ろすとネコの画像の中心がペンの先のようになるよ。次はペンで線を引く向きを変えよう。

4 かいた線から 60 度のところに向かってえんぴつを動かし始める

ネコを時計回りに 60 度回す命令がスモウルビーにはあるよ。これを使って、まっすぐ動かしたあとでネコに時計回りに 60 度回ってもらおう。

　これがネコに時計回りに回ってもらう命令だよ。最初は、回す角度は 15 度になっているから、15 の場所をクリックしてから、キーボードを使って 60 に書きかえよう。反時計回りに回す命令もあるよ。今回は時計回りに回す命令を使おう。「50 歩動かす」の下にくっつけるとこうなるよ。

ルビー

　次に示すのが、ネコに時計回りに回ってもらう命令だよ。

```
turn_right(15)
```

　15 は回す角度なんだ。ここでは 60 にしよう。これを、move(50) の下につけてみよう。次のようになるね。

```
1: self.when(:flag_clicked) do
2:   pen_down
3:   move(50)
4:   turn_right(60)
5: end
```

5 3と4を2回くり返す

あともう2回ほど線をかくと、正三角形になるね。3と4のプログラムをあと2つ、くっつけてみよう。

ブロック

ルビー

```
1:  self.when(:flag_clicked) do
2:    pen_down
3:    move(50)
4:    turn_right(60)
5:    move(50)
```

（次ページに続く）

```
6:    turn_right(60)
7:    move(50)
8:    turn_right(60)
9: end
```

このプログラムをさっそく実行してみよう。

実行してみると……、あれれ、思ったとおりにはかけないね。なぜだろう？

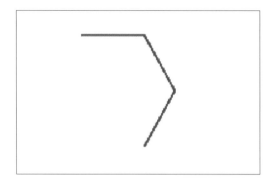

▷▷ 正三角形がかけなかったワケ

正三角形をかきたかったのに、ひっくり返ったお皿みたいな形になっちゃったね。なんでこうなってしまったかを考えよう。

まずはネコにやってほしかったこと、実際にやってもらったことをふり返ってみよう。それから、どこを直したらいいか、解決方法を考えていこう。

実際にネコにやってほしかったことを、細かく手順をわけて考えてみよう。

1 進む

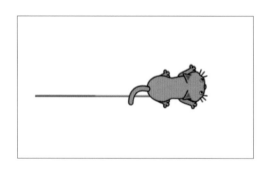

2 ネコが60度回る

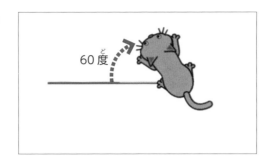

3 また進む

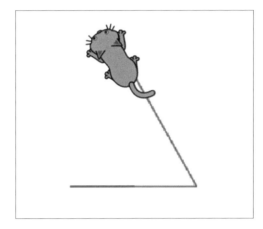

続いて、ネコの実際の動きをふり返ってみよう。

1 進む

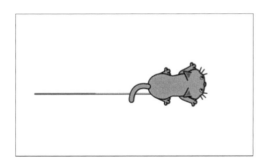

2 60度回る

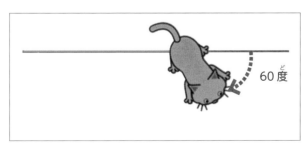

3 進む

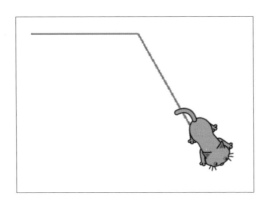

わかったかな？　下の図の赤い丸のところが 60 度になっているよ。これはネコの見ている向きから時計回りに 60 度だね。

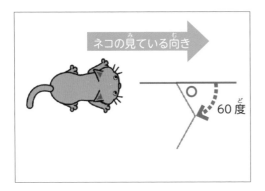

60 度になってほしいのは、下の図の赤い丸のところだね。ここはネコの見ていた向きとは真逆から 60 度になっているね。

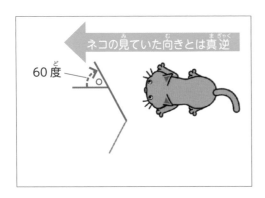

そこで、60 度回ってもらう前に、ネコにふり返ってもらおう。ふり返る、ということは 180 度回転する、ということだね。

そこで、次のようにしてみよう。

1 まっすぐ進んだ後、ふり返って（180
度回って）

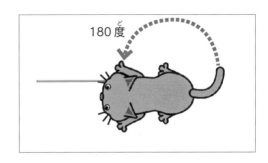

2 時計回りに 60 度回ろう

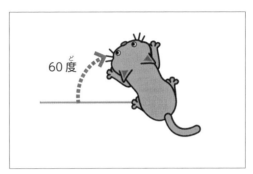

このあとは、まっすぐ進もう。これだとやってほしいこととネコの動きが同じだね。
では、これをプログラムにしてみよう。

ブロック

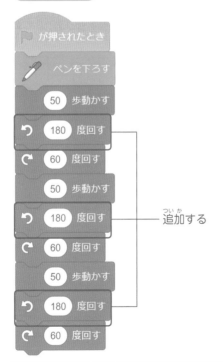

追加する

```
 1:  self.when(:flag_clicked) do
 2:    pen_down
 3:    move(50)
 4:    turn_left(180)
 5:    turn_right(60)
 6:    move(50)
 7:    turn_left(180)
 8:    turn_right(60)
 9:    move(50)
10:    turn_left(180)
11:    turn_right(60)
12:  end
```

プログラムを実行すると、こんなふうにきちんと正三角形がかけるね！

ペンでかいた線の消し方

もしかして、ペンでいろいろかいたかな。キャンパスにたくさん線が引けて、わかりにくくなっているかもしれないね。そうした線をいっぺんにすべて消す方法があるよ。

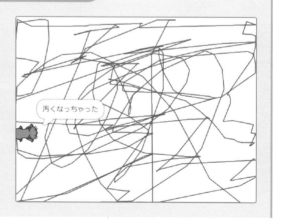

汚くなっちゃった

ペンのカテゴリーにある ✏ 全部消す をクリックしよう。これで線がすべて消えるよ。

pen_clear を when(:flag_clicked) do と end ではさんでから、🚩 をクリックしよう。

```
1: self.when(:flag_clicked) do
2:   pen_clear
3: end
```

▶▶ プログラムをもっともっとかっこよくしたい！

「まっすぐ進んで、ふり返ってから、時計回りに60度回る」というプログラムを3つくっつけて正三角形をかいたね。ここでは、同じプログラムを何回もくり返しているよね。もっとすっきりさせて、プログラムをかっこよくしたいんだ。何かいい方法はないかな？

「ずっとくり返す」という命令を覚えているかな？ この命令は、同じ動作をくり返し続けるよね？ あんな感じで「3回だけ」くり返せばいいかも。スモウルビーには、決まった回数だけくり返しを行う命令がある。それを使ってみよう。

これが決まった回数だけくり返す命令だよ。赤わくの中に「まっすぐ進んで、ふり返ってから、時計回りに60度回る」プログラムを入れて、上の白い丸のところにキーボードで3と打ちこもう。ペンを下ろす命令は1回だけでいいから、くり返す命令の上につけよう。すると、プログラムは次ページのようになるよ。

第5章 幾何学模様をかいてみよう！

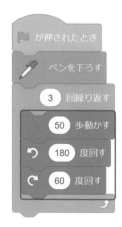

決まった回数だけくり返す命令を次に示すよ。


```
10.times do

end
```


.times の前にある数字がくり返す回数だよ。ここは3回くり返したいのでこの数字を3に変えよう。

できたかな。プログラムは次のようになるね。

```
1: self.when(:flag_clicked) do
2:   pen_down
3:   3.times do
4:     move(50)
5:     turn_left(180)
6:     turn_right(60)
7:   end
8: end
```


では、プログラムを動かしてみよう。正三角形がかけたかな？　かけなかったらプロ

グラムを見直そう。かけた図形が小さすぎるときは、ネコの歩数を変えてみよう。今は 50 にしているけど、100 にしてみても面白いかも。ただ、あんまり大きな数字にするとはしにぶつかってしまうかもしれないから、注意して調節しよう。

▷▷ 正方形をかこう

次は正方形をかいてみよう。みんなは正方形を知っているかな？ すべての辺の長さが同じで、4つ辺があるね。そして、すべての角の大きさが同じだね。

ここで1つの角の大きさが何度かを考えてみよう。

正三角形のときはどうだったかな。正三角形の角の大きさは 60 度だったね。だから正三角形のすべての角の大きさを足した数は、60 × 3 = 180、つまり 180 度になるね。

四角形は真ん中に線を引くことで、三角形 2 つに分けられるよ。2 つということは四角形の角をすべて足した大きさは、三角形の 2 つ分、つまり 180 × 2 = 360、360 度だね。

 180 × 1 = 180 度 　　　 180 × 2 = 360 度

正方形は、すべての角の大きさが同じだね。だから、360 ÷ 4 = 90 となって、正方形の角の大きさは 90 度だよ。正三角形のプログラムを少し書きかえるだけでできそうだね。くり返す回数と回る角度を変えてみよう。少し考えてみよう。

次のプログラムで正方形がかけそうだね。

ブロック

```
1: self.when(:flag_clicked) do
2:   pen_down
3:   4.times do
4:     move(50)
5:     turn_left(180)
6:     turn_right(90)
7:   end
8: end
```

できたかな？

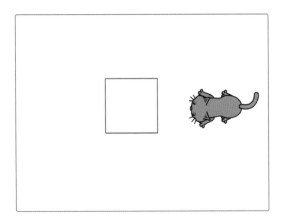

▷▷ 正六角形をかこう

続いて、正六角形もかいてみよう。

正六角形は、三角形4つに分けることができるよ。六角形のすべての角を足した角度は、180 × 4 = 720 となって、720 度だね。正六角形には6つの角があって、すべて同じ角度だから、1つの角度の大きさは 720 ÷ 6 = 120 となり、120 度だね。

では、これに基づいてプログラムを書いてみよう。

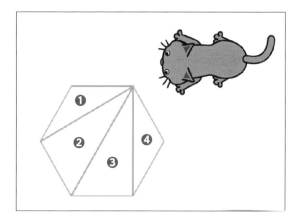

ブロック

ルビー

```
1:  self.when(:flag_clicked) do
2:    pen_down
3:    6.times do
4:      move(50)
5:      turn_left(180)
6:      turn_right(120)
7:    end
8:  end
```

▷▷ 正七角形をかこう

この調子で、正七角形もかいてみよう。

正多角形の1つの角の角度の決まり

正七角形の1つの角の角度を求めるために、今までかいた正多角形のとくちょうを表にまとめてみよう。まとめる内容は次のものだよ。

❶辺の数
❷分けられる三角形の数
❸角度の計算方法
❹角度

図形の名前	辺の数	分けられる三角形の数	角度の計算	角度
正三角形	3	1	180 ÷ 3	60
正方形	4	2	180 × 2 ÷ 4	90
正六角形	6	4	180 × 4 ÷ 6	120

「辺の数」と「分けられる三角形」の数を見てみよう。辺の数から2を引くと「分けられる三角形の数」になるね。

$$辺の数 - 2 = 分けられる三角形の数$$

正多角形のすべての角の角度の合計は180に「分けられる三角形の数」を掛けたものになるね。

$$180 × 分けられる三角形の数 = 180 × (辺の数 - 2)$$

正多角形の1つの角の角度は、すべての角の角度の合計を辺の数で割ったものだね。

$$すべての角の角度の合計 ÷ 辺の数 = (180 × (辺の数 - 2)) ÷ 辺の数$$

これで正多角形の1つの角の角度がわかるんだ。

スモウルビーに計算してもらう

この決まりを使って、スモウルビーに計算してもらおう。

ブロック

四則演算（足し算、引き算、掛け算、割り算）をしてくれるブロックは以下のとおりだよ。

足し算をしてくれるブロック　　　　　引き算をしてくれるブロック

掛け算をしてくれるブロック　　　　　割り算をしてくれるブロック

掛け算と割り算のブロックの中に書いてある「*」（アスタリスク）や「/」（スラッシュ）の記号は、スモウルビーでしか見たことがないかも。覚えるのがちょっと大変だね。

これらを次のように組み合わせよう。

これを式にすると、（○ × （○ - ○ ）） ÷ ○ という意味になるよ。引き算がかっこでくくられているのがポイントだよ。スモウルビーで計算するときは、緑のブロックの内側にあるものから計算していくんだ。

さっそく、正多角形の1つの角の角度の式「180 × （辺の数 - 2 ） ÷ 辺の数」にある数字をこの中にうめよう。正七角形をかくから、辺の数は7にしよう。

これをさっきつくった正六角形をかくプログラムの中に入れよう。さらにくり返す回数も7にしよう。正七角形だからね。

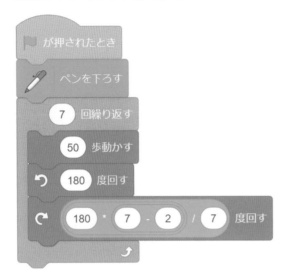

ルビー

足し算は「+」、引き算は「-」、掛け算は「*」、割り算は「/」を使うとできるよ。180 * (7 - 2) のようにかっこも使えるよ。

正七角形の1つの角の角度の式「180 ×（辺の数 - 2）÷ 辺の数」はこうなるよ。

```
(180 * (7 - 2)) / 7
```

これをさっき作った正六角形をかくプログラムの中に入れよう。さらにくり返す回数も7にしよう。正七角形だからね。

```
1: self.when(:flag_clicked) do
2:   pen_down
3:   7.times do
4:     move(50)
5:     turn_left(180)
6:     turn_right((180 * (7 - 2)) / 7)
7:   end
8: end
```

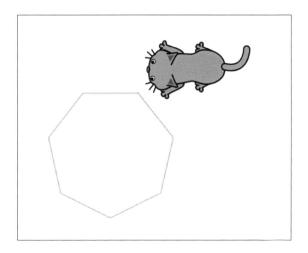

かけたかな？うまくかけなかったら式を見直してみよう。

1つの角の大きさがわかったら、いろんな正多角形をかけるようになったね。かくのが大変な正七角形も、正多角形の1つの角の大きさの決まりをプログラムにして、簡単にかくことができたね。やろうと思えば正二十角形も正三百六十角形もかくことができるよ。

さらに興味がある人は、先に進んで幾何学模様をかいてみよう。

発展 幾何学模様をかこう

ここでは、応用問題として、幾何学模様をかいていこう。その前に、正七角形のプログラムをもっとかっこよくしてみよう。

▷▷角の数を簡単に変えらえるようにする

すぐに幾何学模様をかきたいだろうけど、その前にさっきつくったプログラムで気になるところがあるんだ。正七角形をかくプログラムから正五角形をかくプログラムに変えようと思ったら、「7」という数字を何度も変えないといけない。これは大変だね。

ここで、数字を入れておける変数を使うと簡単に変えられるようになるんだ。例として正五角形をつくりながら、変数になれていこう。

さっそく 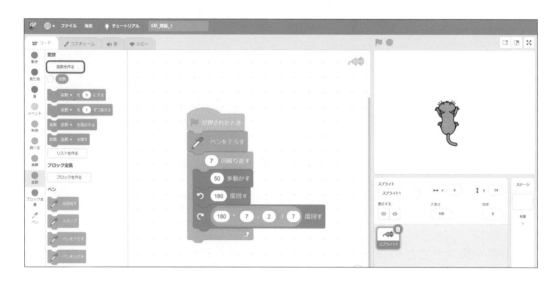 変数 カテゴリーにある「変数を作る」ボタンをクリックしよう。

すると、変数の名前を何にするか聞かれるよ。キーボードで変数の名前を入れよう。
ここでは名前は「へんのかず」にしよう。入れたら OK をおそう。

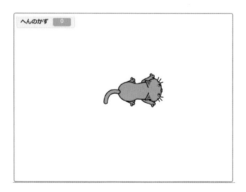

ステージを見てみると、今つくった変数「へんのかず」が出ているね。

次に、このブロックをコードエリアに置こう。

それから、「作った変数▼」の場所をクリックして「へんのかず」を選ぼう。最初から「へんのかず」が選ばれていたら選ぶ必要はないよ。

続いて、「へんのかず」を 5 にしよう。数字の部分をクリックして、キーボードで数字を入れよう。

最後にプログラムの「7」と書いてあるところの上に、 変数 カテゴリーにある

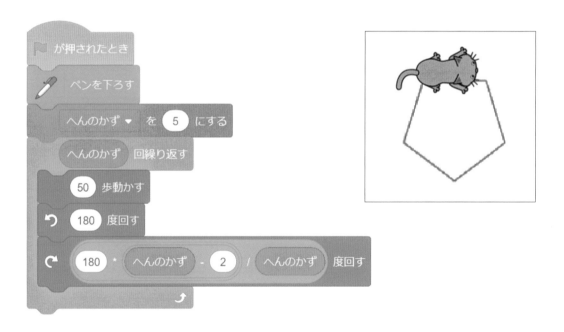

へんのかず

を置いてみよう。正五角形をかくプログラムはこうなるよ。

「へんのかず」を好きな数字に変えてみて遊んでみよう。

ルビー

ルビー で変数をつくるのは、 ブロック よりもとても簡単なんだ。次の命令だけで変数ができるよ。

$へんのかず = 5

　これを pen_down の下に追加しよう。まだ終わりじゃないよ。7 と書いたところを
すべて $へんのかず に書きかえよう。するとこうなるよ。

```
1: self.when(:flag_clicked) do
2:   pen_down
3:   $へんのかず = 5
4:   $へんのかず .times do
5:     move(50)
6:     turn_left(180)
7:     turn_right((180 * ($へんのかず - 2)) / $へんのかず )
8:   end
9: end
```

▷▷ 幾何学模様のかき方

　この章のはじめにある幾何学模様は正八角形を 8 個きれいに並べて、大きな正八角
形をつくっているよ。並べ方は矢印の部分を中心にして、少しずつ回転させてできて
いるのがわかるかな？

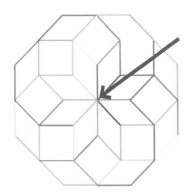

　では、「くり返し」をたくさん使ってかいてみよう。できるかな？　いろんな方法が
あると思うけど、今回は図の赤い矢印、ここを中心にして 360 ÷ 8 度ずつ回転させ
て大きな正八角形をかいてみよう。

手順は次のようになるよ。

1 正八角形を1つかく

2 ネコを 360 ÷ 8 度回す

3 正八角形をもう1つかく

4 **1** から **3** をくり返して正八角形を合計で8つかく

1 正八角形を1つかく

正五角形をかくプログラムを使えば簡単だね。変数「へんのかず」を5から8に変えるだけだね。やってみよう。

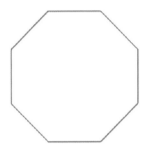

2 ネコを 360 ÷ 8 度回す

なぜ、回す角度が (360 ÷ 8) = 45 度なのかわかるかな?

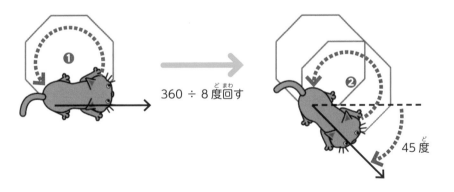

360 ÷ 8 度回す

45 度

少しずつ回転させながら正八角形を8回かいて一周させたいんだ。一周は 360 度だから、それを8等分するために 360 ÷ 8 度だけネコを回すんだね。

3 正八角形をもう1つかく

360 ÷ 8 度だけネコに回ってもらった状態で、もう1つ八角形をかこう。

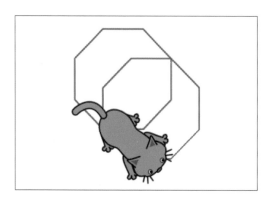

4 上の 1 から 3 をくり返して正八角形を合計で8つかく

このブロックを使って8回くり返そう。すると大きな正八角形ができるよ。

ここまでをプログラムにするとこうなるね。

ブロック

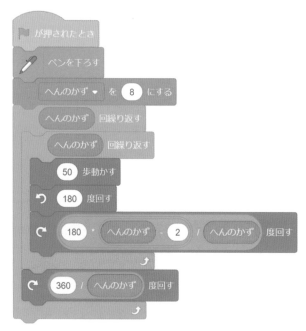

```
 1: self.when(:flag_clicked) do
 2:   pen_down
 3:   $へんのかず = 8
 4:   $へんのかず.times do
 5:     $へんのかず.times do
 6:       move(50)
 7:       turn_left(180)
 8:       turn_right((180 * ($へんのかず - 2)) / $へんのかず)
 9:     end
10:     turn_left(360 / $へんのかず)
11:   end
12: end
```

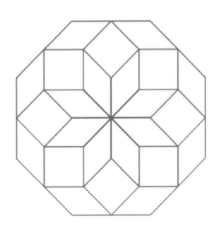

▷▷ペンの色の変更

幾何学模様がかけたね。では、この章のはじめの幾何学模様のようにいろいろな色にするにはどうしたらいいだろう。そうだね、ペンの色を変えるといいんだ。

ペンの色の変え方はこうだよ。

 カテゴリーにある次のブロックをコードエリアに持ってきてから、色の部分をクリックしよう。

出てきたメニューをドラッグして左右に動かすと、好きな色に変えられるよ。色だけでなく、そのあざやかさ、明るさも変えられるんだ。試してみよう。

ルビー

```
self.pen_color = "#e36e1a"
```

ペンの色を指定するにはこう書くんだ。#e36e1a って何のことかわからないね。これは 16 進トリプレット表記っていうんだ。色を表すための決まりだね。

＃ の後ろにある数字とアルファベットで色を決めているよ。e3 の部分が赤色、6e の部分が緑色、1a の部分が青色をそれぞれ表しているよ。3 色を合わせていろんな色を表現しているんだ。

3 色のそれぞれで 0 から 255 の 256 段階の色を使えるよ。でも「e」とか「a」とかのアルファベットが使われているね。これはスモウルビーが「16 進数」で色を表しているからなんだ。16 進数では 0 から 9 までの文字のほかに、「a」、「b」、「c」、「d」、「e」、「f」を使うよ。16 進数は「0」が一番小さい数字で、「f」が 1 番大きい数字になる。この「f」はいつも使っている「15」と同じ意味なんだ。「f」の次は「10」となって、これはいつも使っている「16」と同じ意味だよ。

だから一番うすい色の 0 はスモウルビーでは「00」、一番こい色の 255 は「ff」で表すんだよ。

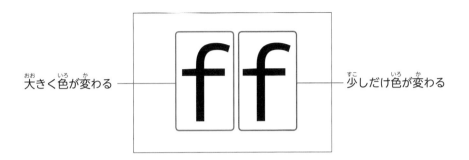

大きく色が変わる ——— 少しだけ色が変わる

　上の図を見て。この左側を「f」に近づけると色がかなりこくなり、右側を大きくすると少しだけ色がこくなるよ。逆に、「0」に近づけると色がうすくなるよ。

　ペンでかいているときに色を少しずつ変えることもできるよ。それには、次の命令を使うんだ。

```
self.pen_color += 10
```

　では、どういうふうにすれば、この章のはじめに示した図の色になるか考えよう。
　まず、図をじーっと見て、どういうときに色が変わっているかを見てみよう。図形の線ごとに色がちがうのがわかるかな。だから線を引いたら色を変えよう。するとプログラムは次ページのようになるよ。

```
が押されたとき

ペンを下ろす

へんのかず ▼ を 8 にする

へんのかず 回繰り返す

へんのかず 回繰り返す

50 歩動かす

↺ 180 度回す

↻ 180 * へんのかず - 2 / へんのかず 度回す

ペンの 色 ▼ を 10 ずつ変える

↻ 360 / へんのかず 度回す
```

```
 1: self.when(:flag_clicked) do
 2:   pen_down
 3:   $へんのかず = 8
 4:   $へんのかず.times do
 5:     $へんのかず.times do
 6:       move(50)
 7:       turn_left(180)
 8:       turn_right((180 * ($へんのかず - 2)) / $へんのかず)
 9:       self.pen_color += 10
10:     end
11:   turn_right(360 / $へんのかず)
```

```
12:    end
13: end
```

　幾何学模様はいろんなものがあるんだ。インターネットで見つけた模様をかいてみたり、今回のプログラムを改造して自分だけの模様をかいてみても面白いかもね。プログラミングは自由にできるから、好きなようにやってみよう。

第6章

マイクロビットを使ってみよう！

準備 マイクロビットを使えるようにする

パソコンが何で動いているか知っているかな。そう、電気で動いているよね。電気はパソコンだけじゃなくて、部屋の照明やキッチンの電子レンジを動かしたりしているね。

照明には、人が近づくとついたり、離れると消えたりするモノがあるよね。電子レンジには、温めるものの重さに応じてちょうどいい感じに温めるモノもある。このように電気で動くモノの中には単純に電気で動く、止まるだけじゃなく、周りのことを調べて動くものがあるね。

パソコンでも「BBC Micro:bit」を使うと、周りのことを調べることができるんだ。さっそく使ってみよう。マイクロビットは、マイコンボードと呼ばれる小さな基板なんだ。このマイクロビットを使うと電気をあやつれたり、センサーを利用したプログラムをスモウルビーでつくれるよ。インターネット通販などで入手できるんだ※1。

まずは、スモウルビーでマイクロビットを使えるようにしてみよう。

※1 例えば、スイッチサイエンスの「Micro:bit をはじめようキット」を購入すれば、後ほど説明するUSBケーブルや電池ボックス、ケースが含まれるので便利だよ。
https://www.switch-science.com/catalog/5264/

▷▷マイクロビットを使うためにパソコンを設定する

マイクロビットをパソコンにつないでスモウルビーで使うには、少し難しい設定がいるんだ。だから大人の人（保護者の人）にやってもらおう。我こそは！というチャレンジャーはやってみてもいいよ！ やり方がわからなくなったら、保護者の人に聞いてみてね。まずは、ウェブブラウザーで次のウェブサイトにアクセスしよう。

https://scratch.mit.edu/microbit

表示したウェブページの少し下にある内容（下の画像）にそって設定するよ。

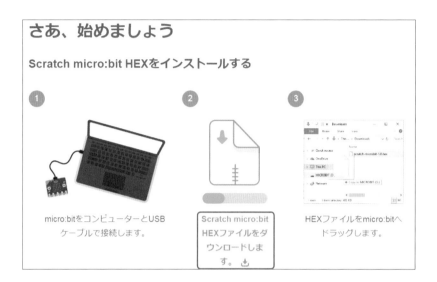

さあ、始めましょう

Scratch micro:bit HEXをインストールする

① micro:bitをコンピューターとUSB
ケーブルで接続します。

② Scratch micro:bit
HEXファイルをダ
ウンロードしま
す。

③ HEXファイルをmicro:bitへ
ドラッグします。

続いて、マイクロビットをパソコンにつなごう。つなぐには、データ転送ができるマイクロBタイプのUSBケーブルを使うよ。

次に、ウェブブラウザーを使って「さあ、始めましょう」の2番目の下のリンク、「Scratch micro:bit HEX ファイルをダウンロードします。」をクリックして、ファイル「scratch-microbit-1.1.0.hex.zip」をダウンロードしよう。

ダウンロードできたら、Windows の画面の下の方にある ![] をクリックしてエクスプローラーを開こう。

エクスプローラーを使って、ダウンロードしたファイルを開こう。するとファイル「scratch-microbit-1.1.0.hex」が入っているから、それをエクスプローラーの画面の左側の「MICROBIT」って書いてあるところにドラッグ・アンド・ドロップしよう。これでマイクロビットに「scratch-microbit-1.1.0.hex」がコピーできたよ。

> 💻 Windows (C:)
> 💾 ボリューム (D:)
> 💾 MICROBIT (E:)

▷▷ Scratch Link をインストールする

次に「Scratch Link」というプログラムをインストールしよう。このプログラムは、スモウルビーとマイクロビットをつなぐために必要なんだ。

インストールのやり方は、次の 2 とおりがあるよ。Microsoft アカウントが使える場合と、そうではない場合だね。Microsoft アカウントが使えるかは、保護者の人に聞いてみよう。

Microsoft アカウントが使える場合

左下の  をクリックしたらキーボードを使って「store」と入力しよう。すると、次の画面になるよ。Microsoft Store をクリックして起動しよう。

この Microsoft Store の検索窓から Scratch Link を探しそう。Scratch Link を見つけて開いたら、その画面で「入手」をクリックし、Scratch Link をダウンロードしよう。ダウンロードできたら、Scratch Link を起動しよう。

<ruby>Microsoft<rt>マイクロソフト</rt></ruby> アカウントが<ruby>使<rt>つか</rt></ruby>えない<ruby>場合<rt>ば あい</rt></ruby>

まず、<ruby>次<rt>つぎ</rt></ruby>のウェブページにアクセスしよう。

https://scratch.mit.edu/microbit

<ruby>開<rt>ひら</rt></ruby>いたページの「<ruby>直接<rt>ちょくせつ</rt></ruby>ダウンロード」と<ruby>書<rt>か</rt></ruby>いてあるリンクをクリックしよう。

 すると、「windows.zip<rt>ウィンドウズ ジップ</rt>」というファイルのダウンロードが<ruby>始<rt>はじ</rt></ruby>まるよ。ダウンロードができたら、windows.zip<rt>ウィンドウズ ジップ</rt>をクリックして<ruby>開<rt>ひら</rt></ruby>こう。すると、ScratchLinkSetup.msi<rt>スクラッチ リンク セットアップ エムエスアイ</rt>というファイルがあるね。これをダブルクリックして<ruby>起動<rt>き どう</rt></ruby>しよう。

 <ruby>次<rt>つぎ</rt></ruby>の<ruby>画面<rt>が めん</rt></ruby>が<ruby>出<rt>で</rt></ruby>てくるよ。<ruby>右下<rt>みぎした</rt></ruby>の「Next<rt>ネクスト</rt>」をクリックしよう。

セキュリティの警告画面が出るので、「はい」をクリックして先に進もう。もし、管理者権限を求められた場合は、保護者の人に確認してみよう。パスワードがかかってたら、保護者の人にたのんでパスワードを入力してもらおう。

　次の画面が出たらインストールは成功だよ。「Finish」をおそう。

▷▷ Bluetooth をオンにする

　次に、Windows の画面の右下の ▢ をクリックして次の画面を出そう。

赤で囲ったところをクリックして「オン」にしよう。

　これでマイクロビットを使うための設定は終わりだよ。この設定は1回だけでいいからもうやらなくていいよ。次はマイクロビットを動かすために、実際にパソコンとつないでみよう。

基本 マイクロビットを動かそう！

▷▷ Scratch Link を実行する

　マイクロビットをパソコンにつなぐ前に Scratch Link を実行しよう。　　 をおしたのち、キーボードで「Scratch Link」と打ち込もう。

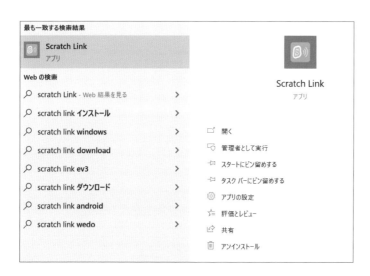

すると「Scratch Link」が出てくるよ。それをクリックして起動しよう。

▶▶マイクロビットを接続する

マイクロビットをパソコンに接続しよう。マイクロビットとパソコンをケーブルでつないでみよう。するとマイクロビットの片面、ぶつぶつがついている方に英語の文字が1つずつ流れていき、全部で5つ表示されるよ。下の画像では「o」が出ているね。プログラムを書くまで、この面が見えるようにしておこう。

※ この写真のマイクロビットは、保護ケースに入っています。

次にスモウルビーを開いてから、左下の 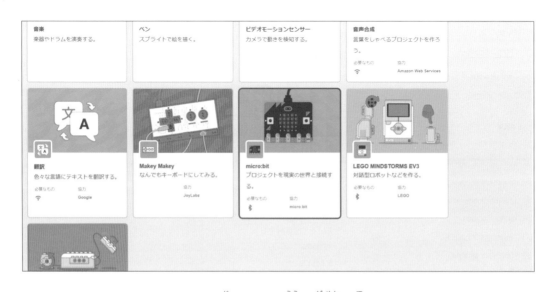 をクリックしよう。表示された画面の、下の赤わくで囲んだ「micro:bit」をクリックしよう。

クリックしてしばらくしたら、次ページの上の画面が出てくるよ。

　ここにマイクロビットのアイコン、デバイス名、「接続する」が出てきているかな？　出てきているなら、赤わくで囲ったところ（この例ではｚｏｚｕｚ）がマイクロビットの名前だよ。もし、下の画像のように「デバイスが見つかりませんでした」と表示されていたら、マイクロビットがきちんとパソコンにつながっているかどうか、Bluetooth がオンになっているかどうかを確認しよう。

　次に、マイクロビットをよく見て、右から左へと流れている５つの英語の文字が、上の赤わくで囲ったところと同じかどうかを確認しよう。

　では、自分のマイクロビットの名前が確認できたら、「接続する」をクリックして、マイクロビットとスモウルビーをつなごう。

　これでマイクロビットを使えるようになったよ。さっそくプログラミングしてみよう。

マイクロビットがパソコンから外れてしまったときの対処法

マイクロビットがパソコンから外れてしまってもあわてなくていいよ。スモウルビーの  カテゴリーをクリックしてから、画像右上にある赤わく内の ❗ をクリックしよう。マイクロビットをつないだときと同じ画面が出てくるので、またつなごう。

先生・保護者の方への注意：複数のマイクロビットをつなげる場合

複数のマイクロビットをつなげる場合には、次の事柄に注意しましょう。

マイクロビットの接続は Bluetooth 接続、つまり無線接続です。本文どおりにマイクロビットに表示される名前と同じ名前の（パソコンが認識した）マイクロビットを選べばよいですが、複数表示されたマイクロビットの中から自分のマイクロビットを選ぶのは大人でも大変です。そのため、教室などでは、生徒には1列ずつマイクロビットをパソコンにつないでもらうなどして、一度に表示されるマイクロビットの数を減らしてください。

▶▶マイクロビットに文字を表示しよう

電光けいじ板っていうのを見たことがあるかな？ あれは電灯をたくさん並べたものなんだ。マイクロビットにも電光けいじ板みたいに光るところがあるよね。パソコンにつないだときに光って文字が表示されたところだね。

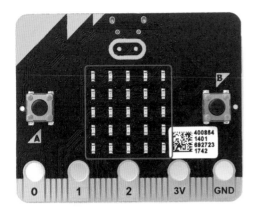

　マイクロビットには、ＬＥＤが 5 個× 5 個の合計 25 個ついているね。これを光らせて文字や記号を表示できるんだ。

　さっそくマイクロビットで電光けいじ板みたいに「Hello!」という文字を表示してみよう。

ブロック

　これがＬＥＤに文字を表示するブロックだよ。🚩 をおしたら動くようにしてみよう。

　これで 🚩 をおすとマイクロビットに文字が流れるよ。「Hello!」と読めたかな？

ルビー

```
microbit.display_text("Hello!")
```

　これがマイクロビットのＬＥＤに「Hello!」と表示する命令だよ。🚩 をおしたら動く命令と組み合わせて動かしてみよう。

```
1:  self.when(:flag_clicked) do
2:    microbit.display_text("Hello!")
3:  end
```

▷▷マイクロビットに好きな模様を表示しよう

次は、マイクロビットに好きな模様を表示してみよう。

ブロック

これが模様を表示するブロックだよ。このブロックのハートマークのところをクリックすると、そのマークが大きく表示されるよ。

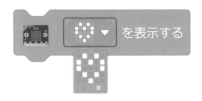

赤わくで囲んだ白（□）と黒（■）の四角は、その1つ1つがマイクロビットのLED を表しているんだ。白（□）が光る、黒（■）が消す、だよ。クリックすると、色が入れかわるよ。これで模様をつくってみよう。つくったらブロックをクリックして模様のとおりにマイクロビットを光らせてみよう。

がんばってカタカナを表示してもいいかも。いろいろと試してみよう。

```
microbit.display(
    ".1.1.",
    "1.1.1",
    "1...1",
    ".1.1.",
    "..1.."
)
```

　これが模様を表示する命令だよ。ちょっと長いね。赤文字のところがマイクロビットのＬＥＤを表しているんだ。「1」が光る、「.（ドット）」が消すを表しているよ。それぞれの行に「1」と「.」を合わせて５つずつ、５行書くよ。ＬＥＤの数と同じだね。🏳 をおしたら動くようにしよう。がんばってカタカナを表示してもいいかもね。

```
1: self.when(:flag_clicked) do
2:   microbit.display(
3:     ".1.1.",
4:     "1.1.1",
5:     "1...1",
6:     ".1.1.",
7:     "..1.."
8:   )
9: end
```

▶▶マイクロビットの加速度センサーを使う

　センサーって知っているかな。例えば、人が近づくと反応して光る照明には、ＬＥＤとセンサーがついているんだ。センサーにはいろんな種類があって、それらを正しく使うことにより、現実世界での様子（動きや明るさや温度など）を調べることができるんだね。

マイクロビットにはＬＥＤに加えて、センサーもついているよ。マイクロビットについているのは加速度センサーと磁力センサーというものだよ。ここでは加速度センサーを使おう。

加速度センサーは「動いた」、「振られた」、「ジャンプした」という３つの動作を調べることができるよ。ゲーム機やスマートフォンみたいに「人間の動作」をプログラムの一部にできるんだ。さっそくやってみよう！

▷▷「動いた」「振られた」「ジャンプした」を調べる

マイクロビットが動いたり、振られたり、持ってジャンプしたりしたことを調べてみよう。例えば、ジャンプしたときにＬＥＤが光るというのはどうだろう。

ブロック

下に示すブロックが、マイクロビットが動いたときに反応するブロックだよ。「動いた」と書かれた部分をクリックすると、「動いた」、「振られた」、「ジャンプした」が出てくるね。

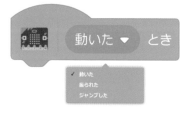

ルビー

```
self.when(:microbit_gesture, "moved") do


end
```

この命令を使うと、マイクロビットが動いたときにこの命令で囲ったプログラムが動くよ。🏳 をおしたときに動く命令と使い方がいっしょだね。

上の例では、moved となっているね。これは動かしたときに反応させたい場合だね。振られたときに反応さたい場合は shaken に、ジャンプしたときに反応させたい場合は jumped にしよう。

▷▷ 動いたときに文字を表示する

それでは、マイクロビットを動かしたら「Hello!」と表示するようにしてみよう。
ブロック の場合は次のようになるよ。

さっそくマイクロビットを動かしてみよう。マイクロビットのＬＥＤが光って
「Hello!」と出るよ。
ルビー の場合はこうなるんだ。
マイクロビットに文字を表示するには、次の命令を使おう。

```
1:  self.when(:microbit_gesture, "moved") do
2:    microbit.display_text("Hello!")
3:  end
```

▷▷ ジャンプしたときにハートマークを表示する

今度はジャンプしたらマイクロビットにハートマークを出そう。さらに、1秒待っ
てからすべてのＬＥＤを消して、何も表示しないようにしよう。

ブロック

⬤ 制御 カテゴリーの ⬤ 1 秒待つ が、1秒間待つブロックだよ。すべてのＬＥＤを消
して何も表示しないようにするには、 📱 画面を消す を使うよ。これらを組み合わせる
とプログラムは次ページのようになるよ。

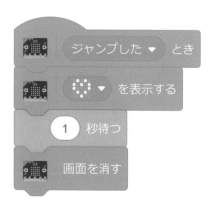

ルビー

次に示すのが、1秒待つ命令だよ。待つ時間は赤文字の数字で決めるんだ。

sleep(1)

そして、下に示すのが、すべてのＬＥＤを消して何も表示しないようにする命令だよ。

microbit.clear_display

これらを組み合わせるとプログラムはこうなるよ。


```
 1: self.when(:microbit_gesture, "jumped") do
 2:   microbit.display(
 3:     ".1.1.",
 4:     "1.1.1",
 5:     "1...1",
 6:     ".1.1.",
 7:     "..1.."
 8:   )
 9:   sleep(1)
10:   microbit.clear_display
11: end
```

ここでは電光けいじ版をつくったり、マイクロビットを振ったり、持ってジャンプしてプログラムを動かしたりしたね。実は、マイクロビットはステージ上のネコとも連携できるんだ。例えば、君がマイクロビットを持ってジャンプすると、ステージ上のネコもジャンプするようにしたり、逆にネコがステージのはしにふれるとＬＥＤを光らせたりもできるんだ。

マイクロビットを使うとつくれるプログラムやアイデアの幅が広がるね。この章の発展ではマイクロビットを使ったゲームをつくるんだよ。ぜひチャレンジしてみよう。

発展 「だるまさんが転んだ」をつくってみよう

マイクロビットのセンサーをうまく使って「だるまさんが転んだ」をつくってみよう。

▶▶ 「だるまさんが転んだ」ってどんなゲーム？

みんなは「だるまさんが転んだ」で遊んだことはあるかな？ 二人以上でする遊びだよ。「だるまさんが転んだ」にはオニが一人いる。だいたいはじゃんけんで負けた人がオニになるよ。そのオニがオニ以外のみんなの方の反対を向いてから、「だるまさんが転んだ」と言うんだ。言ったら、ふり返ってみんなの方を見るんだね。オニはこれをくり返すんだ。

オニが「だるまさんが転んだ」と言っている間、オニ以外の人はオニの方に進むんだ。そうして、だれか一人でもオニにタッチしたら勝ち（オニの負け）なんだね。

オニがふり向いたときには、オニ以外の人は動いてはいけないんだ。動いた人は負けになるんだ。みんな負けてオニ以外の人がだれもオニにタッチできなかったらオニ

の勝ちだよ。

今回はこのルールで、マイクロビットを動かすとネコがオニに向かって進む「だるまさんが転んだ」をつくろう。

最初に、ネコとオニの動きをまとめておこう。

ネコの動きは次のように1つだけだね。

1 オニに向かって進む

一方、オニの動きはこうだね。

1 最初、右のはしにいるオニがかべの方（右）を向く

2 オニは「だるまさんがころんだ」と言ったらふり返る

3 オニがネコを見ているときにネコが動いたら、オニが「うごいたなあ」と言ってゲームしゅうりょう

これをプログラミングしてみよう。

▷▷ オニ「Ďäňi」を追加しよう

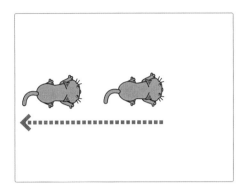

　まずは、ファイルメニューから「新規」の画面を開こう。次にネコを左はしまでドラッグ・アンド・ドロップして動かそう。

　次に、オニを追加しよう。ここでは「Ďäňi」という名前のスプライトをオニにするよ。画面の右下にあるスプライトを追加するボタン（画像の赤わくのところ）をおそう。

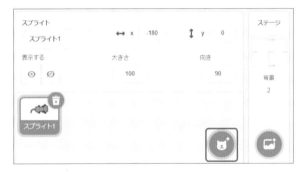

　すると好きなスプライトを選ぶ画面が出てくるから、上のところから「人」をおして、Ďäňi を見つけておそう。

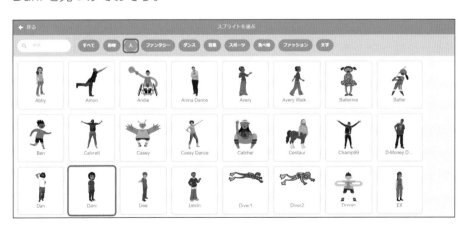

Dani を選ぶとステージの真ん中に出てくるんだ。だから右はしにドラッグ・アンド・ドロップで移動してもらおう。

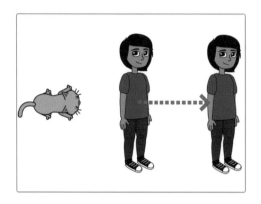

これでオニを追加できたね。

▷▷オニに向かって進む

マイクロビットを振るとネコが Dani に向かって進むようにしよう。

ブロック

 と 10 歩動かす を組み合わせるとマイクロビットを振ったときにネコが前に進むよ。ネコのスプライトに以下のプログラムを書こう。Dani に書かないように注意してね。

```
振られた▼ とき
  5 歩動かす
```

ルビー

マイクロビットを振ったとき（shaken）に反応する命令と、前に進む命令を組み合わせて、ネコに次のプログラムを書こう。

```
1: self.when(:microbit_gesture, "shaken") do
2:   move(5)
3: end
```

▷▷オニがかべの方を向く

次に をおしたときに Dani が右を向くようにしよう。スモウルビーでは、右を表す角度は 90 度だよ。だから 90 度に向ける命令を使おう。

ここからはネコじゃなくて Dani のプログラムを書いていくよ。

ブロック

 の中の  を使って Dani のプログラムを書いてみよう。

が押されたとき

90 度に向ける

ルビー

次に示すのが 90 度に向ける命令だよ。

```
self.direction = 90
```

赤文字の数字を変えると向きが変わるよ。「-179」から「180」が使えて、上は「0」、右は「90」、下は「180」、左は「-90」だよ。

これを使って、Dani に次のプログラムを書こう。

```
1: self.when(:flag_clicked) do
2:   self.direction = 90
3: end
```

▷▷オニは「だるまさんがころんだ」という

オニは「だるまさんがころんだ」といってからふり返るよね。「だるまさんがころんだ」と言ってから 4 秒待ってふり返り、それから 2 秒待ってから、また「だるまさんがころんだ」と言うことにしよう。

ふり返るにはどうしたらいいかな？ 右を向く（90度に向ける）命令の90を-90にしよう。すると、左を向くんだ。

2秒待ったら、また右を見て「だるまさんがころんだ」と言うんだね。同じ動作を何度もするんだ。これはくり返しだね。ずっとくり返す命令が使えるね。

ブロック

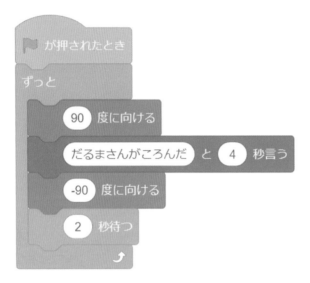

90 度に向ける と、 見た目 の中の こんにちは！ と 2 秒言う を使って、4秒間しゃべってから、左を向くように、そして2秒待つように、DaniのプログラムをDaniのプログラムを変えよう。

ルビー

次の命令を使って、4秒間「だるまさんがころんだ」としゃべってから、左を向くようにしよう。

```
self.direction = -90
```

```
say(" だるまさんがころんだ ", 4)
```

2秒待つには、sleep(2) を使おう。ずっとくり返す命令は loop do ~ end だったね。

これらの命令を組み合わせて、Daniのプログラムを次のように変えよう。

```
1: self.when(:flag_clicked) do
2:   loop do
3:     self.direction = 90
4:     say(" だるまさんがころんだ ", 4)
5:     self.direction = -90
6:     sleep(2)
7:   end
8: end
```

これを実行してみるとどうなるかな？

▷▷ Dani が逆立ちしないようにしよう

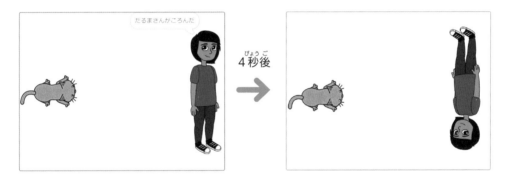

おっと、左を向いたけど Dani が逆立ちしたね。
「-90 度に向ける」という命令は、-90 度になるまで左回りにぐるっと回転させてしまうため、上下まで逆さになってしまったんだ。だから逆立ちしてしまったんだね。
では、Dani が逆立ちしないようにしてみよう。

ブロック

回転方法を 左右のみ ▼ にする を次のよう使おう。

次に示すのが逆立ちしようようにする命令だよ。

```
self.rotation_style = "left-right"
```

これを使ったプログラムは次のようになるね。

```
1: self.when(:flag_clicked) do
2:   self.rotation_style = "left-right"
3:   loop do
4:     self.direction = 90
5:     say("だるまさんがころんだ", 4)
6:     self.direction = -90
7:     sleep(2)
8:   end
9: end
```

どうなったかな。Dani が逆立ちをしないで、左右を向くようになったね。

▷▷ ゲームを終わらせる方法

　Dani が左を向いているときにネコが動いたら Dani が「うごいたなあ」と言うようにしよう。Dani が勝って、ゲームしゅうりょうだね。

　困ったことに、スモウルビーには Dani が左を向いているときに反応する命令がないんだよね。なので、ネコが動いたら、つまり「マイクロビットが振られたとき」の命令を使って、次のようにしてみよう。

1 マイクロビットが振られたとき
2 Dani が左を向いていたら
3 Dani が「うごいたなあ」という
4 ゲームはしゅうりょう

　これをプログラムにしていこう。

1 マイクロビットが振られたとき

　ブロック　では、マイクロビットが振られたとき動くブロックは　振られた ▼ とき　だったね。この下にプログラムをつけていこう。

　ルビー　では、マイクロビットが振られたときに動く命令は、以下だったね。

```ruby
self.when(:microbit_gesture, "shaken") do

end
```

do と end の間にプログラムを書いていこう。

2 Dani が左を向いていたら

　ブロック

　　　の「もし〜なら〜」を使おう。Dani が左を向いているなら (-90 度を向いているなら)、プログラムを実行するんだね。

　向き　と　◯ = 50　を組み合わせて　向き = -90　とすると、Dani が左 (-90 度) を

向いているかを調べることができるよ。

ルビー

次の命令を使おう。

```
if

end
```

これは「もし〜ならプログラムを実行する」という命令で、もし Dani が左 (-90 度) を向いているなら、プログラムを実行する、といったことができるんだよ。

Dani の向きは、次の命令で 90 や -90 といった角度がとれるんだ。

```
direction
```

Dani が左 (-90 度) と同じかどうかは、== という命令で調べることができるよ。

これらを組み合わせると次のようになるんだ。

```
if direction == -90

end
```

3 Dani が「うごいたなあ」という

Dani が 2 秒間「うごいたなあ」としゃべるようにしよう。

ブロック では、 こんにちは! と 2 秒言う を使おう。「こんにちは!」を「うごいたなあ」にかえよう。

ルビー では、次の命令を使おう。

```
say("うごいたなあ", 2)
```

4 ゲームしゅうりょう

最後にプログラムを止めることにしよう。

ブロック では、止める すべて ▼ がプログラムを止める命令だよ。
ルビー では、次の命令だよ。

```
stop("all")
```

ここまでのプログラムを合わせると次のようになるよ。

ブロック

```
 1: self.when(:flag_clicked) do
 2:   self.rotation_style = "left-right"
 3:   loop do
 4:     self.direction = 90
 5:     say("だるまさんがころんだ", 4)
 6:     self.direction = -90
 7:     sleep(2)
 8:   end
 9: end
10:
11: self.when(:microbit_gesture, "shaken") do
12:   if direction == -90
13:     say("うごいたなあ", 2)
14:     stop("all")
15:   end
16: end
```

▷▷最後のひと工夫

　これで「だるまさんがころんだ」ができたね。でも、遊んでみるとわかるんだけど、遊ぶたびにネコをドラッグ・アンド・ドロップしてして左はしに戻さないといけないんだ。これはめんどうだね。

　くり返して遊びやすいように、🏳 がおされたら、ネコが左はしまで移動するようにしよう。

ブロック

 のブロックをおう。x 座標は -180、y 座標は 0 にしよう。

ネコのプログラムはこうなるよ。

ルビー

ネコを下の命令で左はしまで移動しよう。赤文字は x 座標で、青文字は y 座標を表しているよ。

```
go_to([-180, 0])
```

ネコのプログラムはこうなるね。

```
1: self.when(:microbit_gesture, "shaken") do
2:   move(5)
3: end
4:
5: self.when(:flag_clicked) do
6:   go_to([-180, 0])
7: end
```

Ruby をつくった人からのメッセージ
まつもとゆきひろ（Matz）

―――――――――――― **プログラミングパワーを君たちに** ――――――――――――

はじめまして。まつもとゆきひろと申します。この本でとりあげられているRubyというプログラミング言語をつくった人です。

わたしがコンピューターに最初に触れたのは小学校6年生のときです。そのときの古いコンピューターはマシン語という数字の並びしか受け付けてくれなかったので、本に書いてある数字をとにかく打ち込んで、やっと動いたのが楽しかったことを覚えています。

意味がわかってプログラミングしたのは中学校3年生のときで、そのときはBASIC（ベーシック）という言語を使いました。このときも本に載っていたプログラムを書き込んでゲームとかするのが楽しかったです。でも、コンピューターのしくみを理解してプログラミングできるようになったのは大学生になってからでした。

ですから、今すぐにコンピューターのことをぜんぶわかる必要なんてないんです。ゲームをしたり、ためしに動かしてみたり、そうやって遊びながら、できることを少しずつ増やしていけばそれでいいと思います。学校でコンピューターを使って遊べたら最高ですね。

プログラミングはコンピューターという「おもちゃ」のスーパーパワーを引き出す方法です。楽しみながら、みんながびっくりするパワーを使っちゃいましょう。

―――――――――――― **プログラミングを教える先生へ** ――――――――――――

私は、プログラミング教育を含む学習指導要領の策定にあたって文部科学省からヒアリングを受けた1人です。プログラミング教育を行うにしても、知識で採点したり、穴埋めテストをするのはやめてくださいと強くお願いしました。実際に学習指導要領では体験を重視するようになっているはずです。

言うまでもなく、子どもたちはいろいろな可能性を秘めています。プログラミングの楽しさに気づいて自分の未来を切り開く子どもたちを、教えると言うより手助けするつもりで接していただけるといいなと思います。

学習指導案集について

　小学校の学習指導要領が改訂されて2020年度からプログラミング教育が必須となります。そこで、この本の内容を小学校の授業で使えるように、小学校の先生に向けた学習指導案を付録として用意しました。

　各章と学習指導案の対応は次のようになっています。

	教科	学年	単元	学習活動の分類※
第1章 今日から君はプログラマー！	全教科	3〜6年生	プログラミング体験	C
第2章 音楽をつくろう！	音楽	3年生	拍の流れにのってリズムを感じとろう	B
第3章 なぞなぞゲームをつくろう！	社会	4年生	日本地図を広げて	B
第4章 シューティングゲームをつくろう！	学級活動	5〜6年生	シューティングゲーム	C
第5章 幾何学模様をかいてみよう！	算数	5年生	円と正多角形	A
第6章 マイクロビットを使ってみよう！	理科	6年生	電気と私たちの生活	A

　このうち、第1章に対応した学習指導案だけは特別で、それ以外の学習活動に先立って行うことを想定した、プログラミング言語やプログラミングに関する基礎的な知識および技能を習得するためのものとなっています。

　この学習指導案は、島根大学 教育実践開発専攻（教職大学院）の橋爪一治教授に監修いただきました。第1章と第5章については島根県松江市の一部の小学校の授業ですでに活用されており、すぐに小学校の教育現場で使えるものとなっています。

　この学習指導案を含め、本書が小学校でのプログラミング教育の手助けとなれば幸いです。

　※ 以下の文部科学省による「小学校プログラミング教育の手引き（第三版）」で定義されている「小学校段階のプログラミングに関する学習活動の分類」に基づく。
　　https://www.mext.go.jp/content/20200218-mxt_jogai02-100003171_002.pdf

各教科・小学3年生以上 プログラミング体験 学習指導案

単元目標

各教科のプログラミングに関する学習活動の実施に先立って、プログラミング言語やプログラミングに関する基礎的な知識や技能を習得する。

プログラミング教育での主なねらい

●	❶「プログラミング的思考」を育むこと
	❷ プログラムや情報技術の社会における役割について気付き、それらを上手に活用してよりよい社会を築いていこうとする態度を育むこと
	❸ 各教科等での学びをより確実なものとすること

小学校段階のプログラミングに関する学習活動の分類

C：各学校の裁量により実施するもの（A、B 及び D 以外で、教育課程内で実施するもの）

指導計画

時	学 習 活 動
1～3※	プログラミングやプログラミング言語を学ぶ（本時）

※ 子どもたちの状況により異なる。

授業展開

対象とする学習活動

プログラミングやプログラミング言語を学ぶ。

ねらい

簡単なゲームづくりを通じて、各教科のプログラミングに関する学習活動に必要なプログラミング言語やプログラミングの基本的な仕組みを知り、操作ができる。

分	学 習 活 動	● 指導上の留意点　★ 評価
0	**1.スモウルビーを使えるようにする。** ・コンピュータの電源を入れる。 ・スモウルビーを起動する。 　▶インターネットを使える場合は https://smalruby.jp/smalruby3-gui/ にアクセスする。 　▶そうではない場合はあらかじめインストールしてあるスモウルビーを使う。	● 本書の第1章を参考にする。 ● デスクトップなどに https://smalruby.jp/smalruby3-gui/ へのショートカットを用意しておくとよい。 ● インターネットを使えない、または Windows 10 よりも古い Windows が入っているコンピュータを使う場合はあらかじめスモウルビーをインストールしておくこと。
5	**2.めあてを確認する。** <u>ゲームづくりを通して、プログラミングを知る。</u>	
	3.つくるゲームを体験する。 ・これからつくるゲームを知るために、あらかじめつくっておいたネコがマウスのポインター（ネズミ）を追いかけるゲームを実行して見せる。 こんにちは!	
8	**4.プログラムとプログラミングの説明を聞く。** ・プログラムは順番にコンピュータにやらせたいこと（命令）を書いたもの。 ・プログラミングはプログラムをつくること。 ・コンピュータのプログラムも、運動会やいろいろな発表会のプログラムと同じで、順番にやらせたいことを書いたもの。	● スクラッチを使ったことがある児童がいる場合、スモウルビーはスクラッチと同じように使えて、さらにルビーを学ぶための機能をもっていることを伝える。

今日から君はプログラマー！

10	**5. ネコに「こんにちは!」としゃべらせる。** ・「見た目」カテゴリーの「(こんにちは!)と(2)秒言う」ブロックをクリックすると、ネコが「こんにちは!」と2秒間しゃべる。  　▶いろいろなブロックをクリックして各ブロックのふるまいを確認する。 ・「(こんにちは!)と(2)秒言う」ブロックをドラッグしてコードエリアにドロップする。 ・スモウルビーでは ▶ をおしたときにプログラムをスタートさせることができる。そのためのブロックが次のもの。 ![が押されたとき] ・このブロックを「(こんにちは!)と(2)秒言う」ブロックのすぐ上にドラッグ・アンド・ドロップしてくっつける。 ・ ▶ をおしてネコをしゃべらせる。 ・以下の関連操作も指導する。 ・ブロックを消すときはカテゴリーにドラッグ・アンド・ドロップする。 　▶ブロックを出した場所に戻して片付ける、ということ。 ・つながっているブロックをドラッグすると、下につながっているものがついてくる。	**用語の説明** ●「カテゴリー」はスモウルビーの画面の左側にある「動き」「見た目」「音」などのこと。 ●「(左)クリック」はマウスの左ボタンを押して、マウスを動かさずにはなすこと。 ●「ドラッグ」はマウスの左ボタンを押したままマウス(マウスカーソル)を目的の位置まで動かすこと。 ●「コードエリア」はスモウルビーの画面の真ん中の白い部分。 ●「ドロップ」はドラッグしたあとでマウスの左ボタンをはなすこと。 ●「ドラッグ・アンド・ドロップ」はドラッグしてからドロップすること。
15	**6.「追いかける」動きを考える。** ・「向く」と「動く(進む、走る、歩く)」を組み合わせて「追いかける」を表現する。 　▶追いかけたい方向を向く。 　▶動く(進む、走る、歩く)。 ・追いかける相手が動いたときはどうするかな? 　▶また追いかけたい方向を向く。 　▶動く(進む、走る、歩く)。 　▶これをずっと繰り返す。	●児童が指示して先生に追いかけてもらう場面を考えさせる。このことからプログラムの場合も、ある動きをいくつかの動きに分けて表現することが難しいことや、正確に命令しなければ思ったとおりに他人(コンピューター)を動かせないことに気付かせる。
25	**7. ネコがマウスのポインターを追いかけるプログラムをつくる。** ・ネコを、 　▶マウスのポインターへ向ける。 　▶動かす。 ![10 歩動かす]	●「[マウスのポインター▼]へ向ける」は「[マウスのポインター▼]へ行く」と間違えやすい。後者はマウスのポインターに瞬間移動するブロック。

学習指導案

	・これをずっと繰り返す。 ・さらに ▐ をおしたときにネコが動くようにする。 	

35	**8.「つかまえる」動きを考える。**
	・ネコが「こんにちは!」としゃべるのはいつ?
	    ▶ずっとではない。
	    ▶ネコとマウスのポインターが触れた(重なった)とき
	      だけ。
	・ネコが、
	    ▶もし、
	      > マウスのポインターに触れた
	    ▶なら
	      >「こんにちは!」と2秒間しゃべる
	・これをプログラムにする。

		● 児童がクリック、ドラッグ・ア
		ンド・ドロップなどのコンピュー
		ターの基本的な操作に慣れてい
		ない場合やここまでに時間がか
		かった場合は、「つかまえる」動
		きは省略して次のふり返りに進
		む。
		● ローマ字を学んでいる場合は「こ
		んにちは!」を「つかまえた
		(TUKAMAETA)」に変え、パ
		ソコンで日本語を打つときに
		ローマ字を使うことを説明する。

42	**9.ふり返りをする。** ・スモウルビーは主にマウスを使ってブロックを組み合わ せてプログラミングする。 ・コンピュータにやらせたいことをコンピュータがわかる 命令(言葉)に分けないといけない。	★プログラムとプログラミングはわ かったか? ★スモウルビーの操作方法はわ かったか? ★「おいかける」動きはわかったか? ★「つかまえる」動きはわかったか?

参考文献

1. 小学校プログラミング教育の手引(第三版)／文部科学省

2. ネコから逃げろ!ゲームを使ったスクラッチワークショップ／阿部 和広

    https://swikis.ddo.jp/abee/77

音楽・小学3年生
拍の流れにのってリズムを感じとろう
学習指導案

単元目標

互いの音や旋律を聴き合いながら拍の流れにのって演奏する。

拍の流れを感じながら、反復や変化を生かしてまとまりのあるリズムをつくる。

プログラミング教育での主なねらい

	❶「プログラミング的思考」を育むこと
	❷ プログラムや情報技術の社会における役割について気付き、それらを上手に活用してよりよい社会を築いていこうとする態度を育むこと
●	❸ 各教科等での学びをより確実なものとすること

小学校段階のプログラミングに関する学習活動の分類

B：学習指導要領に例示されてはいないが、学習指導要領に示される各教科等の内容を指導する中で実施するもの

指導計画

時	学　習　活　動
互いの音や旋律を聴き合いながら拍の流れにのって演奏する	
1	範唱を聴き、旋律やリズムを感じ取って歌い、それらをつかんで演奏する
2	主な旋律と副次的な旋律、低音パートを合わせて演奏する
3	グループで合わせ方を考え、拍の流れにのって演奏する
4	主な旋律、副次的な旋律、低音パートの旋律を合わせて拍の流れにのって演奏する
拍の流れを感じながら、反復や変化を生かしてまとまりのあるリズムをつくる	
5	反復と変化を生かしたまとまりのあるリズムの仕組みに気付き、思いや意図を込めた4分の4拍子・4小節のリズムをつくる
6	グループでそれぞれが「つくったリズム」をつなげてグループのリズム音楽をつくる
7	「つくったリズム」をコンピュータで演奏する（本時）

※　本時より前にスモウルビーの基本操作を学習していること。

授業展開

対象とする学習活動

「つくったリズム」をコンピュータで演奏する。

ねらい

コンピュータを使って「つくったリズム」を正確に演奏させることで、そのリズムの思いや意図が伝えられるかどうかを再確認する。さらにコンピュータでは反復を簡単に変化させたり、繰り返し何度でも演奏できたりする良さを活かして、思いや意図が伝えられるようにリズムをより良くする。

分	学 習 活 動	● 指導上の留意点　★ 評価
0	**1.既習事項を確かめる。** ・リズムの拍の概念や休符の概念を確認する。 　▶4分音符 　▶8分音符 　▶4分休符 ・グループで「つくったリズム」を確認する。	● 本書の第2章を参考にする。 ● 本時より前にスモウルビーの基本操作を学習していること。
3	**2.めあてを確認する。** <u>コンピュータを使って「つくったリズム」を正確に演奏する。</u>	
	3.コンピュータで楽器を鳴らす準備をする。 ・パソコンの電源を入れ、スモウルビーを起動する。 ・「音楽」の拡張機能を追加する。 　▶左下の拡張機能をクリックする。 　 　▶「音楽」をクリックする。 　 　▶「音楽」カテゴリーが増える。	
	4.リズム楽器を取り出して鳴らしてみる。 ・次のブロックを使ってさまざまな打楽器の音を確認する。 　 　▶楽器の一覧から好きなものを選んでからブロックをクリックすると打楽器の音が鳴る。	● 児童は好き勝手に楽器を鳴らし始めるため、音量の変え方を説明してパソコンの音量を小さくする。大きいままだと授業が進まなくなる。

10	**5.繰り返しやまとまりのあるリズムをつくる。**	
	・4分音符は0.25拍鳴らす。	

・4分休符は0.25拍休む。

　▶1小節の4分の1 = 1 ÷ 4 = 0.25

　▶8分音符は？（1 ÷ 8 = 0.125）

・簡単なリズム（337拍子）を演奏する。

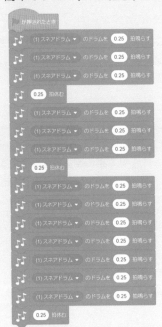

・さらに最初の2小節を繰り返しで表現する。

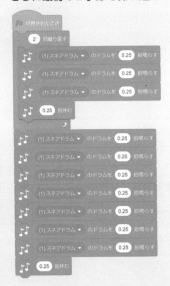

20	**6.「つくったリズム」の自分のパートをつくる。**	
	・前時（5、6時）までにグループで「つくったリズム」の自分のパートをプログラムで表現する。	

25	**7. グループでリズムをつなげて大きなリズムをつくる。** ・グループごとに、前の人の演奏が終わったタイミングで🚩を押し、各自で作ったリズムをつなげて一つの大きなリズムにする。 ・リズムの思いや意図が伝わっているかグループで話し合う。	●一人一人の思いや意図と曲の印象のマッチングを丁寧に行う。またどう改良すると思いや意図に近づくか示唆を与える。
30	**8. リズムをより良くする。** ・思いや意図を伝えられるように「つくったリズム」をより良くする。 　▶繰り返しの回数を変える。 　▶4分音符を8分音符2つに分ける。 　▶その逆で8分音符2つを4分音符1つにまとめる。 ・以上の事柄を自分がつくったリズムに対して行ってからグループで演奏する。これを繰り返して、グループでつくったリズムをより良いものにしていく。	
40	**9. ふり返りをする。** ・プログラムでは、4分音符、8分音符、4分休符は、それぞれ0.25拍鳴らす、0.125拍鳴らす、0.25拍休む、という記号（ブロック）に対応している。 ・プログラム（コンピュータ）は何度でも正確に演奏できる。 ・何度も演奏させることで、「つくったリズム」を自分で評価してより良くすることができた。 ・思いや意図を表す具体的な変更方法がわかった。	★リズムをつくったときの思いや意図とそれを聴いたときのイメージが近づいたか？

参考文献

1. 小学校プログラミング教育の手引（第三版）／文部科学省

2. きのくにICT教育小学校プログラミング教育学習指導案集／和歌山県教育委員会

3. 「拍の流れにのってリズムをかんじとろう」／東京都教職員研修センター

社会・小学4年生
日本地図を広げて
学習指導案

単元目標

　日本の都道府県について、それぞれの名前と場所を調べてみる。

プログラミング教育での主なねらい

	❶「プログラミング的思考」を育むこと
	❷ プログラムや情報技術の社会における役割について気付き、それらを上手に活用してよりよい社会を築いていこうとする態度を育むこと
●	❸ 各教科等での学びをより確実なものとすること

小学校段階のプログラミングに関する学習活動の分類

　B：学習指導要領に例示されてはいないが、学習指導要領に示される各教科等の内容を
　　　指導する中で実施するもの

指導計画

時	学　習　活　動
1	日本地図を見て自分が住んでいる県がどのあたりにあるか確認する
	日本地図を見ながら特産品や地形などのテーマごとに整理されている47都道府県カードを活用して各都道府県の位置と名称を抑える
2	47都道府県のカードを再度活用して前時までの学習を確認しながら、白地図に47都道府県名を書き込ませる
3	県名から県庁所在地をあてる「なぞなぞゲーム」を作成する（本時）

※　本時より前にスモウルビーの基本操作を学習していること。

授業展開

対象とする学習活動

　県名から県庁所在地をあてる「なぞなぞゲーム」を作成する。

ねらい

　県名から県庁所在地の名前をあてる「なぞなぞゲーム」の作成を通して、県名と県庁所在地の対応を繰り返し、読み上げたり、紙に書いたり、コンピュータに入力したりすることで、その確実な習得を図る。

分	学 習 活 動	● 指導上の留意点　★ 評価
0	**1. 既習事項を確かめる。** ・各自が県名と県庁所在地の名前を「ひらがな」で知っているだけ挙げる。3分間。 ・児童に、しまね(けん)とまつえ(し)のように、県名と県庁所在地の名前がちがうものを発表してもらい、板書する。3つまで。 	● 本書の第3章を参考にする。 ● 本時より前にスモウルビーの基本操作を学習していること。 ● コンピュータに漢字で入力するのは時間がかかるため、県名と県庁所在地名をひらがなで挙げることにしている。

県名	県庁所在地名
しまね	まつえ
ぐんま	まえばし
いわて	もりおか

分	学 習 活 動	● 指導上の留意点　★ 評価
5	**2. めあてを確認する。** <u>県名と県庁所在地の名前がちがうもののなぞなぞゲームをつくって遊ぼう。</u>	
	3. つくるゲームを理解する。 ・コンピュータの電源を入れて、スモウルビーを起動する。 ・児童が選んだ県名から県庁所在地の名前をあてるなぞなぞゲームをつくる。 　▶「しまねのけんちょうしょざいちはどこかな」と聞く。 　▶児童が答えを入力する。 　▶正解していたら「せいかい」と2秒しゃべる。 　▶間違っていたら「まつえしだよ」などの答えを2秒しゃべる。	● 事前に用意したプログラムを実行して見せる。
10	**4. なぞなぞを出して答えられるようにする。** ・問題の県名と県庁所在地名を決める。 ・次のプログラムで ▶ をおすと「○×けんのけんちょうしょざいちはどこかな」と聞いてくるプログラムを考えよう。 　が押されたとき 　（ しまねけんのけんちょうしょざいちはどこかな ）と聞いて待つ 　▶画面右側のステージの下に答えを入力するためのものが表示される。	● キーボードの扱いに慣れている児童とそうでない児童で差が大きく出る。 ● できればグループで選んだ県がかぶらないようにする。かぶっても問題はない。

| 20 | **4. なぞなぞの答え合わせをする。**
・正解したら「せいかい」、誤答の場合は正しい県庁所在地名を言うプログラムを考える。
・もし
  ▶児童の答えが合っている（例えば「まつえし」）
・なら
  ▶「せいかい！」と2秒言う
・でなければ
  ▶正しい答え（例えば「まつえしだよ」）を2秒言う
・これをプログラムで表現する。
・「もし～なら～でなければ」はそのブロックが制御カテゴリーにある。

・「児童の答えが合っている」は次のブロックで表現する。
  ▶児童の答え

  ▶合っている

  ▶これらを組み合わせる

・次のようなプログラムになる。
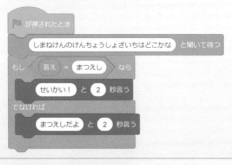 | ●分岐の上が正答のときの分岐、下が不正解（誤答）のときの分岐。まちがえることが多いため注意する。 |
| 30 | **5. プログラムで遊んでみる。**
・まずは自分のプログラムで遊んでみる。
  ▶ステージ右上の拡大ボタンをクリックして、ステージを拡大しておく。こうすることでプログラムを隠すことができて答えが見えなくなる。
・次に隣同士や同じ班内の他人のなぞなぞゲームで遊んでみる。
・誰かが教師役となり一斉に解答する。 | ●できるだけ多くの児童でゲームを遊び合わせる。県名と県庁所在地の対応を覚えることにつながる。
●一斉に行い、習得状況を把握する。 |

| 40 | **6. ふり返りをする。**
・ゲームをつくることができた。
・他人とは異なる県名と県庁所在地名の関係を見つけることができた。 | ★県名と県庁所在地名が異なる都市をなぞなぞゲームづくりを通じて、覚えることができた。【知・理】 |

参考文献

1. 小学校プログラミング教育の手引（第三版）／文部科学省

2. きのくにICT教育小学校プログラミング教育学習指導案集／和歌山県教育委員会

3. 「新編「新しい社会　3・4下」指導計画作成資料」（平成27年度）／東京書籍

学級活動・小学5年生以上 シューティングゲーム 学習指導案

単元目標

　シューティングゲームの作成を通じてプログラミングの楽しさや面白さ、達成感などを味わう。

プログラミング教育での主なねらい

●	❶「プログラミング的思考」を育むこと
	❷プログラムや情報技術の社会における役割について気付き、それらを上手に活用してよりよい社会を築いていこうとする態度を育むこと
	❸各教科等での学びをより確実なものとすること

小学校段階のプログラミングに関する学習活動の分類

　C：各学校の裁量により実施するもの（A、B 及び D 以外で、教育課程内で実施するもの）

指導計画

時	学 習 活 動
1	シューティングゲームをつくる（本時）

※　本時より前にスモウルビーの基本操作を学習していること。

授業展開

対象とする学習活動

　シューティングゲームをつくる。

ねらい

　コンピュータに意図した動作を行わせる方法を学習する。

分	学　習　活　動	● 指導上の留意点　★ 評価
0	**1.既習事項を確かめる。** ・スモウルビーの起動 ・ブロックの操作 　▶ブロックを置く 　▶ブロックを並び替える 　▶ブロックを消す ・プログラムの実行・停止 　▶ブロックをクリック 　▶🚩をおして実行 　▶⬤をおして停止 ・マウスの操作 　▶クリック 　▶ダブルクリック 　▶ドラッグ・アンド・ドロップ ・キーボードの操作 　▶英語の入力 　▶日本語の入力	●本書の第4章を参考にする。 ●本時より前にスモウルビーの基本操作を学習していること。
5	**2.めあてを確認する。** <u>シューティングゲームをつくろう。</u>	
	3.シューティングゲームを体験する。 ・ネコがタマをガイコツにぶつけるゲーム。 　▶画面の左側のネコをキーボードの上下の方向キーで動かす。 　▶スペースキーでタマを投げる。 　▶画面の右側のガイコツは上下に動く。 　▶タマがあたったらガイコツは消える。	●第4章の基本のプログラムを用意する。
	4.ネコを上下に動かす。 ・「[上向き矢印]キーが押されたとき」「[下向き矢印]キーが押されたとき」にネコを上、下に動かす。 　▶「上に動く」ブロックはない。 　▶上に動かす＝y座標（縦の場所）を増やす＝ 　y座標＋10＝「y座標を(10)ずつ変える」 　　上向き矢印 ▼ キーが押されたとき 　　y座標を (10) ずつ変える 　▶下に動かす＝y座標を減らす＝ 　y座標－10＝「y座標を(-10)ずつ変える」 　　下向き矢印 ▼ キーが押されたとき 　　y座標を (-10) ずつ変える 　▶ネコの場所を画面の左側にする。	●マイナスの数を使うことになるが、ここでは引き算の「-10」だと説明する。

| 15 | **5.ネコがタマをなげる。**
・タマとして使う矢印を追加する。

・スペースを押したときにネコがタマを投げるようにする。
・「ネコがタマを投げる」について考えながらタマのプログラムを作る。
　▶ネコがタマを持つ ＝ タマがネコ（スプライト1という名前）のところに行く ＝「[スプライト1▼]へ行く」
　▶タマを投げる ＝ タマを右に動かす ＝ x座標（横の場所）＋ 10 ＝「x座標を(10)ずつ変える」
　▶いつまでタマを右に動かすの？
　　＞(右)端にあたるまで ＝「<[端▼]に触れた>まで繰り返す」
　▶(右)端にあたったらどうする？
　　＞消す ＝「隠す」
　▶一度端にあたったら表示されなくなってしまった！？
　　＞隠したらどこかで表示しないといけない ＝「表示する」

　▶最初はスペースキーを押す前にタマ（矢印）が表示されている
　　＞最初にタマを消す ＝「🏳がおされたとき」「隠す」
 | ● タマ（矢印）のプログラムを作るときは画面右下の矢印をクリックして、コードエリア（画面中央）に矢印のプログラムを表示してから行うこと。 |
| 25 | **6.ガイコツが上下に動く。**
・ずっとガイコツが上下に動く。

・上下に動くにはどうすればいい？
　▶ガイコツの向きを上(0°)にする。 | ● 動き出す前のガイコツが画面の端に触れていた場合、ガイコツは動かない。端に触れないようにガイコツを移動すること。 |

学習指導案

	・ガイコツが上や下を向いてしまい、ネコの方を向いてくれない。 ▶ガイコツを回転しないようにする＝「回転方法を［左右のみ▼］にする」 	
30	**7. タマがあたったらガイコツが消える。** ・ずっと動くのではなくタマがあたったらガイコツを止める。 ▶「ずっと」を「＜[Arrow1 ▼]に触れた＞まで繰り返す」に変える。 ・隠すときはどこかで表示しないといけない。 ▶🏳 がおされたときに「表示する」。	
35	**8. ゲームをおもしろくする。** ・作ったプログラムを変えてもっとおもしろくする。 ・ヒント ▶タマのスピードを速くする。 ▶ネコを左右に動かせるようにする。 ▶ガイコツのコスチュームを変える。 ▶ガイコツを増やす。 ・他の人のプログラムをやってみる。	●ここに時間をかけ、作品発表を行うことで論理的思考や想像力を伸ばす。
43	**8. ふり返りをする。**	

参考文献

1. 小学校プログラミング教育の手引（第三版）／文部科学省

2. きのくにICT教育小学校プログラミング教育学習指導案集／和歌山県教育委員会

3. 小学校プログラミング教材に関する研修教材／文部科学省

算数・小学5年生
円と正多角形
学習指導案

単元目標

　平面図形についての観察や構成などの活動を通して、正多角形の意味や性質、円周率の意味や直径、円周、円周率の関係について理解し、それを用いることができる。

プログラミング教育での主なねらい

	❶「プログラミング的思考」を育むこと
	❷ プログラムや情報技術の社会における役割について気付き、それらを上手に活用してよりよい社会を築いていこうとする態度を育むこと
●	❸ 各教科等での学びをより確実なものとすること

小学校段階のプログラミングに関する学習活動の分類

　A：学習指導要領に例示されている単元等で実施するもの

指導計画

時	学 習 活 動
1	折り紙作業による正多角形の学習の動機づけ＜正六角形、正八角形＞
2	正多角形の概念、中心角の等分割による正多角形の作図＜多角形、正多角形＞
3	円周の等分による正六角形の作図
4	いろいろな正多角形をかき、正多角形の特徴をまとめる（本時）
5	円周と直径の関係（円周率を求めること）＜円周、円周率＞
6・7	円周や直径を求めること
8	直径と円周の関数的関係
9	学習した内容を確かめる

※　本時より前にスモウルビーの基本操作を学習していること。

学習指導案

授業展開

対象とする学習活動

いろいろな正多角形をかき、正多角形の特徴をまとめる。

ねらい

正多角形のすべての辺の長さと角の大きさが等しいという特徴に着目して、いろいろな正多角形をかくことができる。

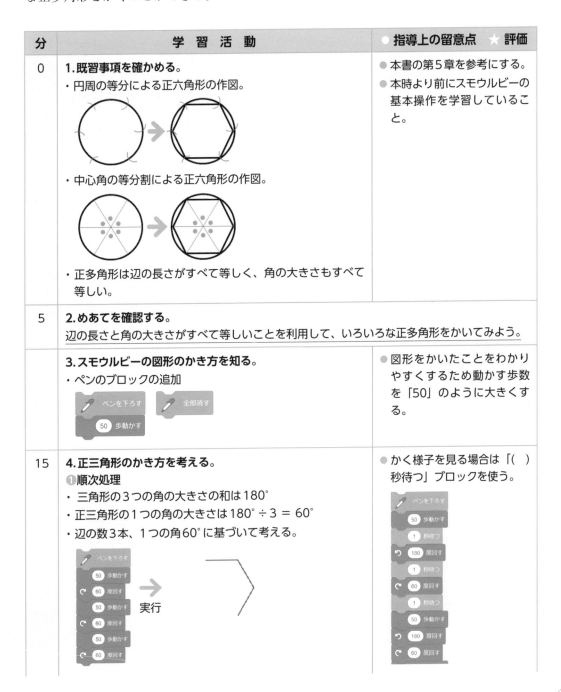

分	学 習 活 動	● 指導上の留意点　★ 評価
0	**1.既習事項を確かめる。** ・円周の等分による正六角形の作図。 ・中心角の等分割による正六角形の作図。 ・正多角形は辺の長さがすべて等しく、角の大きさもすべて等しい。	● 本書の第5章を参考にする。 ● 本時より前にスモウルビーの基本操作を学習していること。
5	**2.めあてを確認する。** 辺の長さと角の大きさがすべて等しいことを利用して、いろいろな正多角形をかいてみよう。	
	3.スモウルビーの図形のかき方を知る。 ・ペンのブロックの追加	● 図形をかいたことをわかりやすくするため動かす歩数を「50」のように大きくする。
15	**4.正三角形のかき方を考える。** ❶順次処理 ・三角形の3つの角の大きさの和は180° ・正三角形の1つの角の大きさは180°÷3 = 60° ・辺の数3本、1つの角60°に基づいて考える。	● かく様子を見る場合は「( )秒待つ」ブロックを使う。

	・正三角形がかけない。どうすればよいか考える。 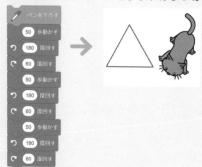	● 正三角形がかけない理由やその解決策を考えさせることが論理的思考をはぐむことにつながるため、しっかり考えさせる。 ● 児童がネコの動きをまねしてみることで、ネコが向いている方向から60°回すのではなく、一度後ろをふり向いてから60°回すことに気づかせる。 ● 回転する方向は時計回りでも反時計回りでもどちらでもよい。 ● かき方を変える前後で、同じことを3回していることがはっきりとわかるようになったことに気付かせる。
	❷くり返し処理 ・「くり返す」を使って同じ操作を1つにまとめよう。 ・辺・角の数の3つ分、同じブロックが並んでいることに気づき、「(3)回繰り返す」ブロックを使って別のかき方に変える。 	
25	**5. 正方形のかき方を考える。** ・正三角形のかき方を応用して、正方形をかいてみよう。 ・四角形の1つの角は何度かな？ 　▶90° ・四角形の辺は何本かな？ 　▶4本 	● 四角形の4つの角の大きさの和は360° 　▶四角形は2つの三角形に分けることができ、それらの角の合計が180°×2 = 360° ● 正方形の1つの角は360° ÷ 4 = 90°
30	**6. 正六角形のかき方を考える。** ・正六角形の1つの角の大きさは何度かな？ 　▶120° ・正六角形の辺の数は何本かな？ 　▶6本 	● 正六角形の1つの角の大きさは？ 　▶六角形は4つの三角形に分けることができ、それらの角の合計が180°×4 = 720° ● 正六角形の1つの角の大きさは720° ÷ 6 = 120°

| | 35 | **7.いろいろな正多角形をかく。** | | | ● 時間がない場合はここをスキップしてふり返りを行う。 |

35

7.いろいろな正多角形をかく。

・規則やプログラムを考えよう。

・これまでの結果を表にまとめよう。

	正三角形	正方形	正六角形
辺の数	3	4	6
分けられる三角形の数	1	2	4
1つの角の角度	60°	90°	120°
その式	180°×1÷3	180°×2÷4	180°×4÷6

・表から正多角形のきまりを見つけよう。

　▶ 分けられる三角形の数は？

　▶ 1つの角の角度は？

　▶ 式で表せないかな？

・決まりに基づいて1つの角の角度を計算するプログラムを考えよう。

180・3・2／3
180・4・2／4
180・6・2／6

・正七角形をかくプログラムを考えよう。

43

8.ふり返りをする。

・1つの角の大きさがわかればいろいろな正多角形をかけることがわかった。

・決まりをプログラムで計算させられることがわかった。

・プログラムは正七角形の面倒な計算もすぐにやってくれることがわかった。

右段：

● 時間がない場合はここをスキップしてふり返りを行う。

● 表の「その式」の180°は三角形の角の大きさの合計。

● スモウルビーでは、×は＊（アスタリスク）、÷は／（スラッシュ）で表現する。

● 「辺の数」と「分けられる三角形の数」との決まりを考える。

　▶ 辺の数 － 2 ＝ 分けられる三角形の数

● さらに1つの角の角度の決まりを考える。

　▶ 180 × 分けられる三角形の数 ÷ 辺の数

　▶ 180 × （辺の数 － 2）÷ 辺の数

★正多角形の性質に基づいて、いろいろな正多角形をかくことができる。【知・理】

参考文献

1. 小学校プログラミング教育の手引（第三版）／文部科学省

2. きのくにICT教育小学校プログラミング教育学習指導案集／和歌山県教育委員会

3. わくわく算数5（平成26年2月26日検定済）／啓林館

理科・小学6年生
電気と私たちの生活
学習指導案

単元目標

　生活の中で使われている電気などに着目する中で、電気の性質や働きを調べる活動を通して、発電や蓄電、電気の変換についての理解を図り、実験などに関する技能を身につけるとともに、学んだことを身の回りの生活やプログラミングなどにつなげ、より妥当な考えをつくり出す力や主体的に問題解決しようとする態度を育成する。

プログラミング教育での主なねらい

●	❶「プログラミング的思考」を育むこと
●	❷プログラムや情報技術の社会における役割について気付き、それらを上手に活用してよりよい社会を築いていこうとする態度を育むこと
	❸各教科等での学びをより確実なものとすること

小学校段階のプログラミングに関する学習活動の分類

　A：学習指導要領に例示されている単元等で実施するもの

指導計画

時	学 習 活 動
1〜5	電気をつくる＜手回し発電機、光電池＞
6〜9	電気をためる＜コンデンサー、発光ダイオード、豆電球＞
10〜12	電気を使う＜電熱線、電気製品＞
13〜14	プログラムやセンサーの利用（本時）

※　本時より前にスモウルビーの基本操作を学習していること。

授業展開

対象とする学習活動

　プログラムやセンサーの利用。

ねらい

電気を光、音、熱、動きに変えることと、センサーを組み合わせた、生活を便利にするための未来の道具を考えることを通して、主体的に、問題解決方法を考える。

分	学　習　活　動	● 指導上の留意点　★ 評価
0	**1.既習事項を確かめる。** ・身の回りにはたくさんの電気を使った道具がある。 ・電気は、光、音、熱、運動などに変えられている。	● 本書の第6章を参考にする。 ● 本時より前にスモウルビーの基本操作を学習していること。
5	**2.めあてを確認する。** プログラムやセンサーでLEDを点灯・点滅させる。	
	3.マイクロビットとは何かを知る。 ・何ができるのかやその特徴を理解する。 ・マイクロビットの特徴を知る。 　▶小型のコンピュータで安い（約2,000円） 　▶2つのボタン、5×5マスのLED、センサーを持つ 　▶スモウルビーで簡単に扱うことができる	● マイクロビットは明るさ、方角、温度、傾きを調べるセンサーを備えるが、スモウルビーで使えるのは傾きだけ。
10	**4.コンピュータとマイクロビットをつなぐ。** ・マイクロビットを配る。 ・Scratch Link とスモウルビーを起動する。 ・マイクロビットとパソコンをUSBケーブルでつなぐ。 ・マイクロビットの機能拡張を追加して、スモウルビーとマイクロビットをつなぐ。 　▶左下の拡張機能をクリック 　▶「micro:bit」をクリック micro:bit プロジェクトを現実の世界と接続する 　▶マイクロビット本体と、スモウルビーに表示されている「5文字のアルファベット」が同じものを選ぶ ❓ ヘルプ　　　📱 micro:bit　　　✕ デバイス名 BBC micro:bit [zozuz]　　📶　接続する	● 1台のパソコンにつき1つのマイクロビットとして、個別、グループ別等状況に応じて学習を進める。 ● 一度にたくさんのマイクロビットとコンピュータをつなげると、正しい「5文字のアルファベット」を選ぶことが難しい。そのため、まずはグループで1個をつないで、コンピュータとマイクロビットのつなぎ方を理解させるとよい。 ● マイクロビットごとに「5文字のアルファベット」は異なる。 ● 「5文字のアルファベット」をあらかじめ紙に印刷してマイクロビットと一緒に保管しておくとよい。

30	**5.5×5マスのLEDを点灯させる。**
	・5×5マスのLED＝電光けいじ板。
	・英語の文字を表示する。
	
	`Hello! を表示する`
	
	・模様を表示する。
	
	`◇▾ を表示する`
	
	・好きな英語の文字や模様を表示してみよう。
		● 身近な電光けいじ板の例を写真などで見せる。
		● 必要に応じて5×5マスの用紙を用意し、表示したいものを設計させる。
		● ブロックをクリックするとすぐに英語の文字や模様がLEDに表示される。
		● LEDの数が少ないため日本語は表示できない。

45	**6.センサーを使ってLEDを点滅させる。** ・マイクロビットを動かすとLEDが消えるようにしてみよう。 `動いた ▾ とき`　`画面を消す` ・マイクロビットは「動いた」「振られた」「ジャンプした」ことを調べることができる。 　▶加速度センサーで調べた傾きを利用 ・LEDとセンサーを組み合わせていろいろやってみよう。	● センサーの感度が良いため、マイクロビットを意図して動かす以外は動かさないよう留意する。
60	**7.センサーをつかった便利な道具を考える。** 　▶例）マイクロビットが動いたとき、マイクロビットを点滅させる。 ・LEDとセンサーを使った身近な道具を挙げる。 　▶万歩計 　▶人が近づいたら光る照明 ・電気を光、音、熱、動きに変えることと、センサーを組み合わせると便利な道具ができる。 ・グループで話し合う。例えば、もしこんなセンサーがあって、もし電気を使ってあんなことができたなら、こんなに便利な道具ができて、今困っているこんなことが解決するだろう、という未来の道具を考えてみよう。 ・考えた道具を発表する。	● センサーの動作と負荷の種類（光、音、熱、動き）の組み合わせが課題解決と対応しているか検討させる。
80	**8.ふり返りをする。** ・電光けいじ板をつくった。 ・動いたことを調べるセンサーを使った。 ・電気をつかった未来の便利な道具を考えた。	★身の回りにはLEDやセンサーを使った道具があり、それを利用した問題解決を考えた。【思・判・表】

参考文献

1. 小学校プログラミング教育の手引（第三版）／文部科学省

2. きのくにICT教育小学校プログラミング教育学習指導案集／和歌山県教育委員会

3. みんなと学ぶ 小学校 理科 6年（平成31年3月5日検定済）／学校図書

学習指導案

著者紹介

高尾 宏治
（たかお こうじ）

　小学生のときに懸賞で当選したポケットコンピュータでプログラミングと出会い、BASIC、C 言語、C++ 言語を学ぶ。アルバイト先が「Ruby の父」まつもとゆきひろ氏の職場だったことがきっかけで Ruby と出会い、今にいたる。息子たちに幼い頃からプログラミングを学ぶ環境を提供したいと思い、スモウルビーを開発し、さらに子どもたちにプログラミングを教えるための NPO 法人を立ち上げる。

　1981 年生まれ。国立（現在、独立行政法人）松江高等専門学校情報工学科卒業。株式会社ネットワーク応用通信研究所 上級研究員。NPO 法人 Ruby プログラミング少年団 理事長。島根県青少年育成アドバイザー。

藤村 健吾
（ふじむら けんご）

　大学に進学した際、ロボットを作るためにプログラミングを覚える。プログラミングが予想外に面白かったため、ゲーム制作にも手を出す。Arduino（C++）や Ruby、Matlab が得意な言語。電子工作やプログラミングが趣味となる。プログラミングを広めようと NPO 法人プログラミング少年団でスモウルビーの使い方やスクラッチの使い方を教える。

　1995 年生まれ。広島県廿日市市出身。2020 年 3 月島根大学自然科学研究科理工学専攻機械電気電子コース修了。2020 年小型屋外作業機械メーカーに就職。

小学生から楽しむ
きらきらRubyプログラミング

2020年5月25日　　　第1版第1刷発行

著　　　　者	高尾 宏治　藤村 健吾	
監　　　　修	まつもと ゆきひろ	
発　行　者	村上 広樹	
発　　　　行	日経BP	
発　　　　売	日経BPマーケティング	
	〒105-8308 東京都港区虎ノ門4-3-12	
装幀・制作	石田 昌治（マップス）	
イラスト	シルビー美緒	
印刷・製本	株式会社シナノ